常春藤传记馆

温儒敏／主编

童话诗人

安徒生传

巩晓悦　著

長春出版社
国家一级出版社
全国百佳图书出版单位

图书在版编目(CIP)数据

童话诗人：安徒生传 / 巩晓悦著. —长春：长春出版社，2021.12
(常春藤传记馆 / 温儒敏主编)
ISBN 978-7-5445-6489-2

Ⅰ. ①童… Ⅱ. ①巩… Ⅲ. ①安徒生(Andersen, Hans Christian 1805-1875)-传记 Ⅳ. ①K835.345.6

中国版本图书馆 CIP 数据核字(2021)第 232743 号

童话诗人:安徒生传

著　　者:巩晓悦
责任编辑:高　静
封面设计:长春出版社美术设计制作中心

出版发行:長春出版社　　总编室电话:0431-88563443
编辑室电话:0431-88525948　　发行部电话:0431-88561180
地　　址:吉林省长春市长春大街 309 号
邮　　编:130041
网　　址:www.cccbs.net
制　　版:荣辉图文
印　　刷:吉林吉达印刷有限公司
经　　销:新华书店

开　　本:880 毫米×1230 毫米　1/32
字　　数:86 千字
印　　张:6.25
版　　次:2021 年 12 月第 1 版
印　　次:2022 年 1 月第 1 次印刷
定　　价:25.80 元

如有印装质量问题,请与印厂联系调换　　印厂电话:0431-81373515

总　序

温儒敏

十多年前，我主持人民教育出版社高中语文教材的编写，其中选修课就专门设置有《中外传记选读》一种，我自己还动手编写了这本教材。因为受高考“指挥棒”影响，一般学校的选修课未必真能让学生自主选修，很多选修教材编出来都没有使用，但《中外传记选读》一直很受欢迎，每年都有重印。这让我对传记的阅读推广有了特别的关注。

我还注意到最近三四年高考语文试题命制的一种趋向，无论全国卷还是其他省市卷，阅读题往往都选传记作为材料。比如今年（2016年）全国卷的甲、乙、丙三个卷子，文言文阅读的材料全是传记，包括《明史·陈登云传》（甲卷）、《宋史·曾公亮传》（乙卷）和《明史·傅珪传》（丙卷）；现代文阅读的实用类文本也多用传记，节选了《吴文俊传》和《陈忠实传》。可见传记阅读越来越受到重视，考试也有意往这方面引导。

中小学语文教材也应当多选一些传记。现在教育部正组织编写一套新的义务教育语文教科书，聘我担任总主编，这套新教材就选了不少名人传记，并鼓励学生多读传记。

为什么中小学生要多读传记？我曾在《中外传记选读》的前言中说过理由，这里不妨转述一下：

> 同学们都渴望能拥有健全、快乐和成功的人生，现在的学习阶段就在做准备，而且其本身就已经是你人生经历的一部分。我们该怎样设计自己的人生？当然最重要的还是学习。除了学习文化知识，还要从历史人物或者成功的人物身上学习宝贵的生活道理、人生哲学以及获取成功的途径。这就是励志教育，是人生教育中非常重要的部分。人都需要不断添加生活的动力，特别是在年轻的时候，要有偶像和楷模，有高远目标的激励。如同英国思想家培根所说过的：“用伟人的事迹激励我们，远胜一切的教育。”让同学们从

> **那些杰出的成功的人物身上吸取人生的经验，从前人多种人生道路的选择中寻找我们各自的“契合点”，这就是我们设立这门课的主要目的。**

这里说的“设立这门课的主要目的”，其实也是我们推出这套“常春藤传记馆”丛书的目的。

“常春藤传记馆”丛书由北京大学语文教育研究所组织编写，长春出版社出版。全套丛书初步设定为100种，每本10万字左右，其选目、内容和写法都是为中小学生“量身定制”的。我们希望这套丛书能作为基本图书进入中小学图书馆。和其他同类传记图书相比，“常春藤传记馆”丛书有四个特色：

一是传主覆盖范围广。包括中外古今各个领域的名人，涉及政治、军事、科学、实业、社会活动、文学、艺术、革命等领域。重点考虑有代表性的、在精神层面可以给学生激励的那些名人。

二是和课程教学有呼应。中小学除了语文，各个学科的教材和教学都会涉及中外古今各个领域的著名人物，选择主题首先考虑这一情况，选取学生有所接触又可能希望进一步了解的那些名人。这可以满足学生不同的兴趣爱好。

三是专门为中小学生编写。本套传记不是专业性强的评传，而是重在勾勒传主生平事业贡献的小传，内容和文字力求深入浅出，生动形象，有趣有味。阅读对象接受水平可以定位在初中程度，也可以稍高一点。特别是有些理科方面的传记，主要面对高中生。其实，小学生的课外阅读也要取法乎上，他们可以读这套为中等文化水平的读者设计的书。

四是内容安排上特别注重励志及健全的人格心理引导培养，在叙说传主生平事迹时，适当地自然地凸显这些方面的思考。

丛书取名“常春藤传记馆”，有特别的含义。“常春藤”是一种多年生常绿藤类灌木。美国哈佛大学等几所著名的私立大学，组成体育联盟，叫“常春藤盟校”，其起名是因为这些老校的校舍墙上常攀缘有常春藤。本丛书以“常春藤传记馆”作为标识，是虚拟的意象，可以联想到著名的学府，也可以联想到古代的书院，从而营造浓郁的阅读氛围和宁静的心境。另外，“常春”和“长春”同音，暗含这套丛书是由长春出版社出版的。

但愿广大师生喜欢这套书，也期盼大家提出批评建议，共同来经营好这套书，让“常春藤传记馆”更好地满足广大读者，特别是中小学生课外阅读的需求，满足语文教学的需求。

2016 年 6 月 30 日济南历下

（温儒敏，山东大学一级教授，北京大学中文系教授，教育部聘义务教育语文教科书总主编）

目录
contents

第一章
“丑小鸭”的童年

童话诗人的诞生

在丹麦，有一座叫欧登塞的小城，那里的人们安静淳朴，过着平凡的日子。小城虽然看起来很普通，但它的名字却来自北欧一个十分有名的神话。传说主神奥丁曾在菲英岛的中央建造自己的城堡，竣工第二天的清晨，他的妻子费丽嘉醒来之后，轻轻推开房间的窗户。一望无际的深蓝色大海在阳光的照耀下在她眼前闪烁，森林里清新的气息伴着温和的风扑面而来，她不禁大声呼喊：“奥丁，快看！”小城的名字——欧登塞就这样流传了下来。

1805 年 4 月 2 日，在欧登塞一个普通的鞋匠家里，一名婴儿呱呱落地，谁也不会想到，整座小城将因他而骄傲。多少年后，人们激动地聚集到一起高声呼喊他的名字，用欧登塞最高的礼遇欢迎他荣归故里。因为他，这座小城闻名世界，承载着无数人的幻想和憧憬，成了独一无二的“童话之城”。世界各地的人们慕名而来，寻觅他笔下的那些童话精灵。他被誉为“世界儿童文学的太阳”“童话大王”和“童话诗人”等，他就是汉斯·克里斯汀·安徒生。

欧登塞所在的菲英岛被安徒生称作“丹麦的花园”，他看到了宽广深邃的大海，一生都迷恋着这片充满神秘和无限幻想的海域，他觉得在深不可测的海底，一定有另一个精彩绝伦的世界。大海那么蓝，像最美丽的矢车菊花瓣，同时又是那么清，像最明亮的蓝色玻璃。欧登塞也带给了安徒生另外的感觉——柔软恬静、温暖无比，这种感觉深深埋入了他的记忆中。

小时候安徒生一家居住的红色小平房低矮简陋，在一条狭窄僻静的街道上，街名叫蒙基莫莱。这座小房子只有一个房间，它不仅是安徒生出生和成长的地方，还是他父亲的制鞋作坊。小屋被父亲干活的用具占去大半，剩余的最大物件是一张婚床——用从特朗培伯爵棺材的木架上拆下来的木条做成。还有一条木板凳，这是瘦小的安徒生蜷着身子睡觉的地方，翻身时很容易从上面掉下来。

屋子虽然又小又挤，但在童年的安徒生心里，它宽敞而温暖。房间里放着一些父亲平时看的书和诗歌集子，他并不懂书里面讲了什么，但十分愿意让父亲念给他听。小屋的墙和门上，还被安徒生心灵手巧的父母贴上了很多画片，它们每天像花儿一样绽放在眼前，他觉得自己仿佛拥有了一整座画廊。从厨房踩着一架梯子，能爬到屋子的顶棚，那里是安徒生母亲的菜园，还是安徒生特别的小天地，这块“小天地”后来还被他写进了《冰雪女王》里呢！小安徒生经常欢喜地爬上来，看看母亲种的葱和茴香，他找个角落躺下来，望着天上的云朵，静静地做做梦。

这座红色小平房有一个小小的院子，院子里的醋栗丛也是属于安徒生的，他经常跑到它们旁边，拿来一把扫帚把母亲的围裙撑起来，这样就搭起了一个小帐篷，他钻进里面仔细地观察醋栗嫩绿色的小芽儿。安徒生看着它们一天天长大，醋栗草一年四季的颜色变化慢慢印刻在他的脑海里，让他心中充满了甜滋滋的感觉。那些小芽儿总能让童年时期的安徒生产生很多稚嫩的幻想，它们变幻成飞舞的精灵，带着他去参加精灵们的舞会呢！

留在安徒生记忆里最早、特别正式的事情是一次家宴，安徒生的父母与欧登塞监狱里的看守是朋友，他们被邀请去参加家宴。欧登塞监狱的外墙在儿时安徒生看来实在太高了，高到快要进入云彩里面，他使劲仰起头都看不到监狱的最顶端。进入这座监狱之前，安徒生一直认为里面关的全是坏蛋，他不知道里面还住着看管坏蛋的好人，也不太明白看守到底是干什么的。摇纺车和唱歌的声音常从里面传出来，那些声音仿佛是咒语，听得他心里不舒服。他讨厌那些声音，心中充满了恐惧。家宴开始了，他一点儿食欲也没有，一心想着在外面听到的那些歌声，可是来到监狱里面竟然听不到了，他很想去寻找。好奇与恐惧使他幻想了起来，这座监狱可能是强盗们的城堡，他自己是被强行拖进城堡里来的，可是奇怪的是强盗们并没有为难他，还说要在他面前跳一种特别的舞蹈！可事实是他太害怕了，紧贴在父亲胸前，被父亲裹在大衣里抱回了家。

欧登塞比首都哥本哈根要落后一些，保留了许多在首都已经消失的风俗。小城里行会换招牌的时候，人们会打着旗子游街，还在剑上缀上柠檬和丝带。很多人扮成小丑，拿着小铃和响板在队伍里跳舞，其中有一个小丑把脸上除鼻子以外的部分都涂成了黑色，绯红色的鼻子与涂成黑色的脸形成鲜明对照，十分滑稽，惹得围观的人们哈哈大笑。斋节的时候，经过了一番装扮的屠夫牵着戴上花环的肥牛招摇过市……这些属于小城欧登塞的狂欢，都留在了安徒生的童年记忆里。

一个曾经驻扎在欧登塞的外国士兵，给安徒生留下了深刻印象。这个士兵是西班牙人，来自一支由法国和西班牙人组成的后援部队，1808 年丹麦对瑞典宣战后，这支部队曾经驻扎在欧登塞。许多年后的安徒生还记得这件事情，写了一首叫作《士兵》的小诗。

安徒生在 1843 年出版了《丑小鸭》——那篇全世界的人大概都读过的童话，其实他就是那只

“丑小鸭”。写下这篇童话的时候，他已年近四十岁。那年安徒生来到吉赛尔费尔特庄园做客，在一个阳光柔和的午后，他坐在湖边静静沉思。安徒生看到一群小鸭子在湖里嬉戏，突然间想起了自己在欧登塞度过的童年，想起自己少年时在哥本哈根的那些心酸的经历，想起自己青年时因为创作受到的指责和讥讽，他决定写一篇关于鸭子的童话，随即掏出随身携带的纸和笔写了起来。“丑小鸭”出生在牛蒡叶子底下，刚开始它长得又大又丑，其他怀着恶意的鸭子经常欺负它，后来它忍无可忍，飞过篱笆逃走了，最后成了一只优雅美丽的白天鹅。安徒生创作这个童话是要告诉人们：即便出生在不起眼的地方，身处不尽如人意的境遇，也一定不要放弃自己！一只天鹅就算在养鸭场里度过童年，又有什么关系！总有一天，“丑小鸭”会成为“白天鹅”！

贫苦鞋匠的儿子

安徒生的父亲是一个贫苦的鞋匠，他父亲这样的鞋匠，只是在当时还没有得到行业工会承认的“自由师傅”，与当时的“上流社会”格格不人。尽管家境窘迫，但父亲非常渴望进入学堂学习。曾有一个学生来找父亲制作鞋子，那个学生把自己的书拿给父亲看，并且和父亲提起自己学来的知识。

“学校才是我应该去的地方！”父亲握紧拳头大声说，泪水瞬间爬满了脸颊。等那个学生走后，父亲把安徒生抱到怀里亲吻了许久，之后再也没有说一句话，这是安徒生第一次见父亲掉眼泪。

安徒生的父亲十分热爱诗歌，经常情感充沛地朗诵诗歌，完全沉浸在作品里，这时候父亲眼中总是闪烁着迷人的光芒，安徒生恍惚觉得父亲不再是一个制鞋子的人，而是一位真真切切的诗人了！母亲后来告诉安徒生，在他刚出生的时候，父亲就在家里高声朗读丹麦伟大的喜剧作家霍尔贝的作品给他们听。父亲对文学的热爱，在潜移默化中感染着童年时期的小安徒生。

父亲平时沉静内敛，并不怎么爱说话，大多数时候都在专心致志地做鞋子。但当他歇息的时候，就给安徒生读自己喜欢的拉封丹的寓言诗、著名的戏剧作品，还有《圣经》和《天方夜谭》等。这些从父亲那里听来的文学作品，对安徒生以后创作诗歌、戏剧及世界瞩目的童话影响巨大。父亲渴望得到诗歌的滋养，渴求能坐在学堂里认真听讲。可是贫苦的鞋匠无论如何也得不到这样的机会，父亲因为没能进入学堂学习而痛苦难过，也知道自己无法为安徒生创造更好的条件，只能把自己热爱的文学说给他听。父亲有着很多奇妙的天赋，不仅会做美丽的鞋子，还会做各种玩具，这些玩具都是安徒生童年的小伙伴。安徒生继承了父亲做手工的天分，他非常喜欢给玩偶缝制五颜六色的衣服。虽然贫苦的鞋匠没有给小安徒生富裕的生活环境，但竭尽所能地让他在快乐中长大。

安徒生长得并不好看，所以他小时候没有多少玩伴，就像“丑小鸭”一样。“丑小鸭”生下来与其他的小鸭子不同，它的羽毛是深灰色的，身子丑陋笨拙；而其他的小鸭子们都长着浅黄色的绒毛，体形很匀称。它们都不愿意和“丑小鸭”玩，每当“丑小鸭”想要靠近它们的时候，它们会推搡“丑小鸭”，用嘴啄它，把它赶到一边去。没有小鸭子愿意和“丑小鸭”一起游泳，它显得实在是太格格不入了！

然而鸭妈妈很疼爱它，还对其他的鸭子们说："丑小鸭"是自己的孩子，没有丑得不成样子！鸭妈妈自豪地夸它脾气好、温和善良，游得也利索，还要带它去认识一下鸭场里其他的朋友们。安徒生的父亲就像故事里的鸭妈妈一样，十分顾及他童年里的这些感受，只要忙完手里的活，就来和他做伴。夏天里，父亲拉着他去树林里玩儿，安徒生开心得蹦啊跳啊，那是安徒生最无忧无虑的童年时光，父亲就是他童年里最好的玩伴。父亲在林中找到一棵熟悉的大树，静静地倚靠着大树坐下来思考，这时小安徒生托着腮帮坐在父亲的旁边，学着父亲的样子望向远方。不过，稚嫩的安徒生无法坚持很长时间，不一会儿就无拘无束地玩耍起来。对大自然的亲近，让很多情感在童年的安徒生心里生了根。安徒生在林子里四处奔跑，他把拾到的小草莓用小草串起来，还要采摘一些鲜艳的花儿，扎成漂亮的大花环，兴奋地拿回家送给母亲。

1811 年的春天来临时，小安徒生已经 6 岁了。有一天，他看到一些在邻居屋顶上收拾自己巢穴的鹳鸟，这是安徒生小时候常见的一种鸟。当地的鹳鸟以白鹳最为常见，白鹳有长长的红色尖嘴和脚，身体大部分的羽毛是白色的，而尾羽却是黑色的，这是它们非常显著的特征。安徒生听说夏天过后，这些弱小的鹳鸟由于翅膀还没有长大，无力飞行那么远的距离到非洲的尼罗河畔过冬，将面临着被啄死的危险，不禁难过起来。

“我可以分点东西给它们吃，冬天太冷了。就让它们到咱们的顶楼来取暖吧，我喜欢它们！”他想到了这样一个好法子，大声对父亲说。在父爱的感染下，幼小的安徒生是多么善良啊！

安徒生出生的时代，正值拿破仑不断向外扩张，发动战争。当时，丹麦、俄国和瑞典组成了中立同盟。1807 年，英国为了阻止丹麦海军被拿破仑利用，强硬地要求丹麦放弃海军，派出舰队炮轰了哥本哈根。这直接导致了丹麦转向了拿破仑，并迅速与拿破仑结盟。安徒生的父亲从报纸上读到了许多关于拿破仑的事迹，拿破仑已成了他心中的英雄，并下定决心要追随他南征北战。事实是一个富农用钱买通安徒生的父亲顶替其当兵，安徒生在童话《只不过是个拉小提琴的》里，讲到的克里斯汀的父亲参军的情节，大体上就是他父亲当兵的经过。

等父亲退役后，身体状况很差，严重时甚至处于不清醒的状态，嘴里还不停说着战争和拿破仑的事情。

不久，他的父亲就去世了。虽然父亲对他的陪伴很短暂，却用最温暖的爱包裹着他，让他轻松愉快地长大，而且父亲留给他许多玩具，还有一个特意为他制作对他影响深远的小戏台。对于父亲的离世，母亲说："冰姑娘已经把他带走了，再也回不来了。"安徒生相信这个世界上真的有这样一位冰姑娘，她把父亲带走了，他心里明白父亲再也回不来了。安徒生和他的家人一起安葬了父亲，祖母还在那坟上种上了玫瑰花。玫瑰花会一直陪伴着父亲，父亲也会在安徒生的心中一直陪伴他长大。

故事里长大的孩子

安徒生的母亲是一位虔诚的基督教徒，他和母亲一样，坚信上帝的存在，年满十四岁时，他在圣克努德教区的教堂里行了坚信礼，《圣经》对他的一生和童话创作影响深远。到了上学的年纪，安徒生进入了“贫民学校”，在那里只学宗教、写字和算术。威尔海芬老师经常充满深情地讲《圣经》的故事，每当安徒生听他讲这些故事时，就会觉得学校墙面上表现《旧约》的那些图画场景和人物都真实出现了。这让他心中产生了美、真和清新之感，这些感觉在他日后阅读拉斐尔、提香等人的作品时也会产生。安徒生经常给学校里的同学讲一些奇怪的故事，那些孩子觉得他的故事很无聊，可安徒生不这样认为。

安徒生母亲总是在邻居面前夸奖安徒生，说他聪明懂事。虽然他们居住的红色小平房十分简陋，但母亲经常把它打扫得干净整洁，洁白的床单和雪白的窗帘总能令她开心不已。

母亲平日里要为别人洗衣服补贴家用，虽然很辛苦，但她对安徒生十分疼爱，把安徒生送到学校里读书的最明确条件就是不允许任何老师体罚他。有一次，母亲带着他一起去麦田里拾麦穗，麦田里的管事是一个有名的恶人，大家看到管事的过来了都跑开了，但是安徒生被麦茬扎了脚，落在了后面。管事要拿起鞭子打安徒生的时候，他说上帝在看着呢，你怎么敢打我。没想到那人竟然停住了手，还给了安徒生点儿钱。

安徒生拿着钱回家给母亲看，母亲很骄傲地对其他人说："他真是个奇特的孩子，人人都对他好！就连那个恶汉也给他钱。"

安徒生的祖母经常来他们家，主要是为了看她的孙儿，安徒生是她快乐与幸福的源泉。安徒生的祖母本来是富裕农民的妻子，但因家庭遭遇变故，变得一贫如洗，祖父后来还患上了精神疾病。所以她没有钱支持安徒生的父亲去正式的学堂，只能让他学了一门赖以生存的手艺。她在一所医院里当园丁，每个礼拜六的下午会被允许带一些花儿回家，她经常把这些花儿带给安徒生，安徒生会把花儿们插到玻璃水杯里，他觉得这样看着它们特别快乐！安徒生也经常去她照看花园的医院，在那里他认识了许多贫苦的纺纱妇人。安徒生喜欢给她们讲一些新奇的事情，很快他就与这些妇人们熟悉起来。纺纱妇人们为了回报小安徒生带给她们的欢乐，给他讲了许许多多有趣的故事，那时候的欧登塞封闭而落后，大部分的人都十分迷信，他们信奉上帝和女巫，那些纺纱妇人给他讲过一些弥漫着神秘气息的北欧神话，安徒生深深陶醉在这神秘的气氛里。北欧的神话经常会出现各种精灵、女妖、巨怪和狼人，神话里的诸神都住在天上，居住的地方与人间用一座桥连接着，这座桥有专门的神守护着。这些神话故事让安徒生听得入迷，同时他也央求她们多讲些不一样的故事。他开始变得越来越喜欢自己编织故事。小时候听来的北欧神话里的故事，对他以后的童话创作都有着深远的影响。

戏剧在心中发了芽

童年时期的安徒生尽管家境贫苦，但他一直浸润在浓浓的艺术氛围当中。父亲对于文学的热爱深深地感染着他，不仅如此，父亲还给他做了一个逼真的小戏台。他经常在这个小戏台上摆弄他的那些玩偶，玩偶们后来成了一个个出现在他童话里的角色。在父亲去世之后，攒五颜六色的布头来给这些玩偶做各种各样的衣服，是安徒生最幸福的事情。

安徒生第一次跟随父母去看戏剧的时候穿得很体面，他太高兴了，心里像有一头小鹿在宽广的原野上自由地奔跑。父母没有那么多的钱经常带他来剧院，只是在冬天的时候带他来一回，但是他太喜欢那里的演出了，剧院成了他最心爱的地方。父亲在安徒生刚出生的时候就念霍尔贝的作品给他和母亲听，而安徒生第一次去剧院看的正是根据霍尔贝的作品《政治补锅匠》改编的芭蕾舞剧。《政治补锅匠》是霍尔贝很有名的戏剧，1722 年 9 月份在新开业的哥本哈根剧院第一次上演就收获了成功，从那以后，这部剧经常在丹麦的剧院中上演。

为了能够经常到剧院看演出，安徒生跟剧院分发海报的皮特成了好朋友。皮特每天都有一些分发海报的任务，可是尽管他一天跑好多条街，发海报的任务依然完不成，这时候他就会把安徒生喊来帮忙，安徒生当然特别愿意为他帮忙，等任务完成了，皮特把他带到剧院里看戏，即便没有座位，和很多人挤在一起也令他很兴奋。有时候皮特无法带他进入剧院，他就把那些海报拿回家里，静静地坐在角落里，按照海报上节目的名字和演员的阵容，给玩偶们排一场剧，这大概就是安徒生最早的文学萌芽吧！

安徒生第一次听到有人说“诗人”这个词语，

是在牧师的遗孀邦克弗罗德夫人家里，她很喜欢安徒生，这也是安徒生走进的第一个有教养的家庭。邻居家故去的男主人在世的时候写过诗，邦克弗罗德夫人把那些诗歌念来给他听。就是在这个家庭里，安徒生突然意识到作为一个诗人多么美妙，多么崇高而令人尊敬啊，他多希望自己也能够成为一位诗人！这肯定也是他父亲的梦想！

安徒生不仅在邦克弗罗德夫人家里第一次听到了“诗人”这个词语，他还在那里第一次读到莎士比亚的戏剧作品。虽然那时候他读到的译本不够精彩，但他依然着迷于剧中巫妖和幽灵登场时候的奇谲场景，很快他就在自己的戏台上表演起莎士比亚的悲剧。哈姆雷特、李尔王、麦克白每天都那么鲜活地出现在他的眼前，因为有了戏剧的陪伴，他感到每天的生活特别有意思，他愿意和那些玩偶们天天都来演一场戏。

安徒生很快地写出了平生第一个剧本，这是一个悲剧，剧里的角色在最后都死掉了。他从莎士比亚的《仲夏夜之梦》里借来两个人名，作为他剧本主人公的名字，用古老歌谣中的故事作为剧本的主线，并且添加了一个隐士和他儿子的情节，他们都爱着剧中的女主人公提斯柏，在她死后，两个人也都自杀了。他用《圣经》里的话作为隐士绝大部分的台词，并且给这出戏起了名字叫作《阿波尔和爱尔薇拉》[①]。他兴奋地把自己创作的戏剧读给邻居家的妇人听，妇人却说应该把名字叫作《栖木和鳕鱼》。“鳕鱼”在丹麦语中有着“笨蛋”的意思，安徒生听出来这是邻居在嘲笑他，他伤心极了，把这件事情告诉了母亲。

“她这么说只不过是她的儿子没有写出这样的东西来。”母亲听后大声说！安徒生感到太欣慰了，创作热情更加高涨！他发现在莎士比亚剧里的国王和公主的谈吐，似乎和其他人没什么两样，他大胆地质疑，认为这并不符合常理。随后他找来一本带丹麦文翻译的德语、法语、英语的词典，在词典中找那些他认为国王和公主应该说的话。在安徒生的心里，读自己写出来的戏给大家听是种莫大的幸福，而听到他创作的戏剧的人们肯定也是幸福的！

安徒生刚出生的时候很爱哭，而且声音特别

①（丹麦）安徒生著，林桦译：《安徒生自传》，人民文学出版社 2011 年版，第 13 页。

大，这让给他施洗的牧师心烦意乱，说这声音像猫发出的声音，母亲听了之后特别难过，后来安徒生的教父安慰她说声音越大的孩子，长大以后唱的歌就越好听。果然，安徒生慢慢长大，他有了一副很特别的高音嗓子，这副好嗓音一直保持到了十五岁。大家喜欢听他唱歌，唱完之后他还要给大家表演霍尔贝和莎士比亚的戏，他能把这些戏都背下来呢！平时一有空闲，他就到邦克弗洛德夫人那里，为她高声朗读从公共图书馆里借来的书。为了感谢夫人能让他读到那么多作品，他亲手缝制插针用的白色小垫子，精心包裹起来，作为生日礼物送给她。

在父亲去世之后，他又有了继父，他们一家搬到了僧侣磨坊门外的一条街上，从那里一直往下走就是欧登塞河。这条河在日后创造童话时赋予了他很多灵感。除了神话里他经常听到的各种精灵、女妖、巨怪和狼人，他也被生活在这条河里的河人传说所吸引。传说中，河人会在太阳升起，洒下一片光辉的时候在河里休息，而当月亮爬上夜空的时候再出来活动，他不禁为水下的河人传说而着迷。1813 年，8 岁的安徒生在剧院里观看了一场“魔幻歌剧”，那是他第一次在上演的歌剧中看到美人鱼。这场“魔幻歌剧”根据奥地利人费尔迪南德·考尔斯的浪漫喜剧《多瑙河姑娘》改编，他被剧中那群可爱的姑娘迷住了。回到家后，他躺在凳子上模仿姑娘游泳的样子，这可把母亲吓坏了，以为他被女妖迷惑住了，后来他跟母亲解释了缘由，母亲才笑着说真拿他没办法，竟然喜欢戏剧到这个程度。

寻找神奇的事情

安徒生喜欢唱歌，常常站在母亲用脚踩衣服的那些大石头上，放声唱遍他所有会唱的歌谣，很多歌谣是他自己编的，每当唱到自己编的歌谣时，他就会越唱越起劲，身上突然有一股力量升腾起来，身边的人也说他的声音太好听了，一定能凭借这副好嗓子得到幸运。他有时候会想这样的幸运到底是什么呢？幸运的事情在他看来就是神奇的事情，而他相信所有神奇的事情都是真实存在的，他也一直期待着神奇的事情发生。

他在年少的时候，已经见过一位真正的王子了。那个时候的安徒生也像当初他的父亲那样渴望读书，而且拥有一副好嗓音，能够背出很多的戏剧台词和情节，这些引起了欧登塞当地一些名流的注意。其中赫伊格·古尔贝格上校就非常关注他，并在上校的引荐下，王子下榻到欧登塞宫的时候，还专门接见了他。

当时，克里斯钦王子并不认为有一副好嗓音、能生动地讲出诗人语言的安徒生是一个天才，他认为安徒生应该选择一个能自食其力的职业，比如做一个镟工。安徒生后来通过自己的努力逐渐崭露头角，最终获得了王子的理解和认可。这位克里斯钦王子，也就是后来的克里斯钦八世，与他建立了很深厚的情谊，克里斯钦八世一直都在关注着他。

神奇的事情不仅没有发生，安徒生还经常被嘲笑，邻居家的孩子们认为他总是异想天开。有一天，他们看到安徒生走过来，竟然大声地讥笑着说“写戏剧的人来了!”安徒生十分伤心，他心中多么渴望有一个舞台，能让他充分证明自己的能力，他坚信总有一天幸运之神会来到他身边。

安徒生不只是在心里想着要去寻找真正属于自己的舞台，他也有实际的行动。当他提出要去哥本哈根时，与母亲发生了争执。母亲希望他学一门养家糊口的手艺，比如说做个好裁缝。但是安徒生坚持要去哥本哈根，因为在他的心里，哥本哈根是这个世界上最大的城市，他认为自己一定可以凭借着自己的能力找到神奇的事情。

“你到那里可以做什么？你能成为什么样的人？”母亲不安地问道。

“我要出人头地！我要演戏剧！”安徒生斩钉截铁地说。

母亲不能理解他哪里来的勇气要去一个又远又陌生的地方，在母亲的心里，哥本哈根是她一辈子都不可能到达的地方呀！而促使安徒生下定决心去哥本哈根的力量是巨大的。安徒生哭着哀求母亲，最后母亲妥协了。于是，她请来一个“神婆”，给安徒生占卜吉凶。“神婆”算完命大声地说“大人物，一定可以成为一个大人物”，母亲听到这话忍不住哭了出来，她最终决定支持安徒生去哥本哈根寻找自己的舞台。

那年，安徒生才十四岁，母亲非常舍不得他离开！走之前的那个夏天，皮特已经带他到剧院里看过很多场戏剧了，甚至他还在诗剧《森德里隆》里客串了一个有几句台词的角色。他身上那股少年特有的朝气和对戏剧极度热情的投入都让这些演员感到很高兴。他坚定地认为自己就是为戏剧而生的，去哥本哈根的皇家剧院表演成了他努力奋斗的目标。

母亲为他打理了行李，他们找到了一个邮差，经过讨价还价最终达成了一致，仅需三克朗来支付路费，只是路上会比较颠簸辛苦。下定决心去哥本哈根寻找舞台的安徒生，根本不怕路途上的辛苦！

马车启程了，安徒生渐渐兴奋起来，眼前的一切都是新鲜的！他回头看向欧登塞河旁那间自己居住的小屋的方向，心中默默地许下愿望，自己一定能够实现梦想，一定能带着成功回来！他呼吸着前方来自陌生地方的空气，突然一阵强烈的孤独感笼罩了他，当踏上哥本哈根时，他走到了海滩边的一座小房子后面，虔诚地跪下来祈求上帝给他指引，使他不至于迷失人生的方向。祷告之后他的内心慢慢地安静下来，他坚信自己一定能得到想要的幸福！一定有神奇的幸运在等待他！安徒生就像《丑小鸭》里的那只小鸭子一样，要自己去外面的世界看一看，如果它没有鼓起勇气走出鸭场，怎会知道，原来自己后来长成了一只美丽的白天鹅！

第二章
梦神让很多愿望实现了

寻梦哥本哈根

1819 年的 9 月 6 日，安徒生是一个十四岁的少年了，他瘦瘦高高的，模样并不好看。他第一次来到首都哥本哈根，这个在他心中一直欣然向往、在他脑海中一直不断畅想的地方。安徒生的心中汹涌着一股不可遏制的力量，那力量让他兴奋，也让他忐忑不已，他不知道自己在这座城市里会成为一个什么样的人。他觉得自己脚下的土地是滚烫的，虽然他身上衣服单薄，但是他在心里下定了决心，一定要在这片土地上踏出一条属于自己的路来。

走在这座陌生城市的街道上，安徒生决定要

去一个自己不觉得陌生的地方——哥本哈根的皇家剧院。他就是为了要成为皇家剧院的演员而来的，那是他最热爱的地方！从家乡欧登塞离开的时候，他请当地有名的书籍印刷商伊弗森，给当时在哥本哈根非常著名的舞蹈家莎尔夫人写了一封推荐信，事实上，伊弗森并不认识莎尔夫人，安徒生想去碰碰运气。

安徒生穿着他参加坚信礼时候的衣服去了莎尔夫人家，那是他最好的衣服了，可还是被莎尔夫人家的仆人以为是来乞讨的，但是迫切想要见到莎尔夫人的心情，让这个小插曲在他心中留下的酸楚滋味儿几分钟就过去了。莎尔夫人在客厅里与他会面，他脱下帽子，把帽子当手鼓，打着节奏欢快地跳起了一场戏中的舞蹈，他当时认为跳舞能引起莎尔夫人的兴趣。莎尔夫人根本不认识给安徒生写推荐信的书籍印刷商，也认为他跳的这些舞蹈动作太怪异了，眼前发生的一切令她感到莫名其妙。她真怕自己遇到了一个疯子，没等安徒生跳完就赶紧命人把他拉走了。安徒生有些失望，不过他在心里安慰自己，也许是莎尔夫人今天遇到了不开心的事情才不喜欢他的表演，他不能因此而灰心。

随后安徒生找到了皇家剧院的主任，想在戏院里谋个差事来养活自己，眼前这座陌生的城市让他意识到想要在这里成名，必须先要生存下来，他要找到一个可以赚钱的工作来满足自己日常的花费。可是他被告知戏院只接收受过教育的人，这个答复让他陷入了深深的悲伤之中，这悲伤太剧烈了，他想大声呐喊出来，想放声痛哭来宣泄。

安徒生想到了上帝，他在书中读到过，每当人们遭遇不幸的事情，上帝就会来帮助人们，而且一个人只有经历了各种各样的挫折和痛苦，才能真正走向成功！这样一想他又振作起来，他用自己为数不多的钱买了一张《保罗与弗尔吉妮》的过道票，看着剧里弗尔吉妮的表演，他忍不住失声痛哭，心里万分难受，虽然置身于剧院中，可是他眼看着自己离它越来越远，成为演员的梦想几乎变成了遥不可及的事！

从剧院出来，安徒生孑然一身游荡在街上，像一个孤魂，拖着沉重的脚步，瘦弱的身躯向前倾斜着前进，不知道自己究竟能飘向何方。极度的疲惫使他真想立马找一个地方，赶快躺下来休息一下。可是大脑不能休息，他要想出办法让自己在这里生存下去。但是他已经很累了，那一晚他蜷缩在剧院一侧的长椅上，白天他曾看到过一对甜蜜的恋人坐在长椅上吃甜点，这样的场景离他的生活太遥远了。

哥本哈根的夜晚又冷又漫长，安徒生的身体在长椅上瑟瑟发抖，他想快点儿睡去，因为这样梦神奥勒·卢科伊就能来到身边为他讲故事，他所有想要实现的愿望就都能在这些梦里实现了。梦神奥勒·卢科伊是丹麦的孩子们很熟悉和喜爱的一个神话人物，他非常喜欢孩子，并且能在梦中给孩子们讲许多有趣的故事。

梦神有两把很特别的伞。每当夜晚来临，孩子们躺在小床上之后，他就会将其中一把伞在好孩子的头上撑开，好孩子会梦见很多美丽的场景，梦神尤其喜欢为心地纯真的孩子撑伞。而另一把会撑在坏孩子的头上，坏孩子就只能一觉睡到天亮了，什么美好的梦都不会出现。安徒生小时候就听父亲讲过梦神的故事，他一直坚信梦神奥勒·卢科伊的存在，并且认为梦神会在那么多小朋友里面选中他，是因为他很善良。当自己独身一人来到陌生的哥本哈根后，安徒生是那么需要梦神帮助自己在梦里实现愿望。他始终相信，在梦里能实现的愿望，在现实中也会慢慢实现的。

第二天清晨，安徒生突然想起来自己在报纸上读到过一个叫作西伯尼的意大利人，这个人是当时哥本哈根皇家音乐学院的主任。安徒生心里想着：在家乡的时候那么多人喜欢我的声音，说我的声音能给我带来幸运，那我就带着这美妙的声音去试一试，说不定真能引起西伯尼的关注呢！如果这次还不行，我就去找艘回菲英岛的船，我要回欧登塞，我要回家！

这次拜访仿佛成了安徒生实现梦想的“救命稻草”，他运气不错，当天西伯尼的家里正在举行一个盛大的晚宴，戏剧界的很多名流都来参加了，有著名作曲家魏瑟教授，还有诗人巴格森。西伯尼家的女佣人认真地听完安徒生在欧登塞时的梦想和来到哥本哈根之后发生的一切，对他表示了同情，随后认真地为他在西伯尼面前重述了大部分他诉说的经历。在场的人听了之后纷纷感到好奇，他们都想见见这个独闯哥本哈根的勇敢少年。

西伯尼把他领到钢琴前，让他唱一段自己熟

悉的曲子，并让他朗诵了霍贝尔戏剧中的台词，那可是他从小就听父亲朗诵的剧作呀！朗诵的时候他想着自己来到哥本哈根以后的境遇，很自然地与剧中的主人公产生了强烈共鸣，一下就哭了出来。在座的听众当然不知道这是多天以来，积压在他心底里的那些悲伤的一次淋漓尽致的释放，他们纷纷认为他的表演是那么生动自然，都为他鼓起掌来。

诗人巴格森给了安徒生很高的评价，认为他将来一定会有一番成就，但同时也告诫他不要因此就骄傲起来。巴格森告诉安徒生要保持自己纯真的本性，虽然那时候的安徒生还不能完全明白这是什么意思，但安徒生意识到纯真的本性，对他以后的成功是至关重要的！

西伯尼对安徒生也很赞赏，他立马同意亲自训练安徒生，他认为安徒生可以成为一名歌唱家，而且一定能登上皇家剧院的舞台。作曲家魏瑟对他的处境感同身受，为他募集了七十克朗，并且说每月可以从他那里领取十克朗作为生活费用。这一切都来得太突然了，安徒生不仅受到赏识而且还获得了别人的资助，这样他就能够留下来继续实现梦想了！

之前的一切不顺、嘲讽都被这些赞赏冲淡了，所有的幸福一起朝他涌来，他太高兴了，他要写信告诉母亲这一切！安徒生在信中怀着像小时候刚得到父亲为他做的小戏台时候的激动心情，告诉母亲他预感到自己能在这里大获成功，无论今后遇到多少困难，他都要坚持下来，直到成功的那一天！

安徒生在西伯尼那里待了快一年的时间，他认为西伯尼是一位非常优秀的老师，但因为西伯尼是一个意大利人而没有在丹麦得到应有的荣耀，甚至在剧院演出时还经常遭到恶意的嘘声。等西伯尼去世之后，很多曾经忽视他的人才意识到以前对他做过的事情是多么荒谬！西伯尼全心全意地教导安徒生，经常给他讲歌剧中的角色，教他如何带着感情去诠释。安徒生从心底里感激他，但是安徒生只有白天能待在西伯尼的家里，晚上他又开始在街上游荡，四处寻着栖身之所，只能在很便宜又不安全的地方缩着身子将就一晚。

十五岁对于安徒生来说是灰色的，他本来是一只唱歌好听、羽毛五颜六色的漂亮“鸟儿”，可是突然有天醒来的时候，他发现自己失声了，变成了一只浑身难看，口里只能发出喑哑低沉音符的小鸟了。他的失声不仅仅是因为到了变声期，还因为他没什么钱给自己买保暖的衣服和鞋子，这也直接影响了他的嗓音。他难过极了，西伯尼对此表示遗憾，很真诚地建议他回欧登塞学一门手艺，找一份赖以生存的工作。

安徒生陷入迷茫之中，突然想起了以前将他介绍给克里斯钦王子的赫伊格·古尔贝格上校，安徒生知道上校的弟弟古尔贝格就是位诗人。诗人古尔贝格很热情地接见了他，并将最近一篇短文的收入送给了安徒生。安徒生用这笔钱，终于在伍尔格街的一个夫人那里租到了一间他可以付得起的小房间。安徒生感动于这位夫人对他的收留，甚至将这位夫人当成母亲一样看待。

在哥本哈根住下来的安徒生心里踏实了许多，他可以坐在街边，静静地吸一口面包店外的空气，那空气中弥漫着啤酒花儿的香气。他终于可以全身心地投入到喜爱的戏剧表演了。安徒生迎来了自己的十六岁，他依然还是像在欧登塞的时候一样，给自己的玩偶们做衣服，他会跑到欧伊斯特街上跟那里的人们要些布头，带回来把玩偶们装扮成他想要的角色。他按照自己小时候幻想出来的样子设计它们。

虽然安徒生把钱都花在了房租上，但是房东夫人有时候让他帮忙进城取东西，他回来的时候夫人会给他八先令，他就用这些钱买纸和旧戏剧书。他以前在邦克弗雷德夫人那里看书的时候听到过大学图书馆的馆长老拉斯姆斯·纽厄鲁普，这位馆长是位农民的儿子，以前还在欧登塞念过书。安徒生想，自己也是来自欧登塞的，可能会让这位图书馆馆长感觉到亲切。安徒生鼓起勇气去拜访了他，他的举动依旧让别人感觉到奇特，但很幸运的是这次的“奇特表现”真的让馆长感到了莫名亲切！他允许安徒生进入教堂的图书馆看书，甚至答应他可以把书带回家看的请求！

令安徒生万分高兴的事儿是古尔贝格说服了演员林格仁来指导他表演。林格仁让安徒生把《画廊》中的独白说给他听，等安徒生声情并茂地念完之后，林格仁认为他对戏剧表演很有感觉，但认为安徒生不应该干演员，最好的选择是去上大学，在大学里他可以学到拉丁文、数学、地理等好多知识。林格仁让安徒生回去再问问古尔贝格的意见。要知道那时候学拉丁文是最费钱的，安徒生哪里有那么多钱，好心的古尔贝格找到了一位可以给他免费上拉丁文课的老师。

此刻的安徒生已经与刚来哥本哈根的那个他不一样了，越来越多来自他人的善意将这个心无所依的男孩儿慢慢融化了，他心中又重新燃起了希望，他越来越觉得自己能在这座城市里占有一席之地，他一定会出名的！

终于登上了舞台

安徒生是幸运的，命运总是能在他遇到很多挫折之后给他安慰，这次的安慰是他渴求了很久的——温馨的家，独舞家达伦和他的妻子在为他敞开了家门。特别是达伦的妻子，她是一位在当时受到拉贝克等人交口称赞的艺术家。拉贝克和他的妻子在当时是哥本哈根文化界的领袖，他们的家叫作“巴克居”，是当时文化界著名的人士经常聚会交流的场所，二人对 19 世纪初的丹麦文化生活产生了深远的影响，能得到拉贝克的称赞是至高无上的荣誉。

安徒生跟随达伦夫妇学习舞蹈，他可以自由地进入到剧院群演的包厢里面，他离舞台越来越近了。终于，他等来了登上舞台的那一天！那一天晚上，剧院上演了戏剧《那两个小萨瓦人》，在大幕后面，他遇到了曾经和他一起跟随西伯尼学习歌唱的伊达·伍尔夫，她告诉安徒生，等到歌剧进行到集市那一场的时候，大幕后面不论是谁都可以到台前去。安徒生兴奋极了，他赶忙化了妆等待着上台。安徒生还穿着行坚信礼时候的衣服，那是他最体面的一套衣服，但是由于他长高了很多，衣服已经不合身了，而且由于经常洗涤，这套衣服显得特别陈旧。他的皮鞋也因为穿的时间太长，边缘已经被磕得形状不规则了，他的帽子太大了，几乎遮住了眼睛。台下注意到他的人可能是因为他瘦长的个子和这身“奇特的装扮”，可这已经是他最用心的装扮了，他实在买不起其他的衣服。

台上的一切都让安徒生感到太不可思议了！舞台的灯光那么耀眼，他仿佛看到一颗颗星星在眼前闪烁，他感到生命里的时间仿佛定格在舞台那短短的几分钟里，此刻他心中的梦想要实现了！

但他很快就被浇了冷水，一位颇有些名气的演员看到他上台之后，走上前握着他的胳膊，用讥笑的口吻说真该把你介绍给所有的丹麦人啊！安徒生心中的喜悦在那一瞬间被结结实实的嘲笑声取代了，他觉得自己就像个小丑，被台下的人用奇怪的眼神看来看去，他又害羞又生气，急匆匆跑下了台。

然而，安徒生并没有因此而止步，反而愈加努力。不久之后，他终于等来了自己的名字印在节目单上的时刻，达伦先生为芭蕾舞剧《阿珥密达》谱曲，安徒生在剧中饰演了一个带着鸟嘴面具的巫师，虽然观众并没有看到他真实的面庞，但他心里满足极了，他终于盼来了真正站在舞台上的那一刻，他是名真正的演员了！

但是安徒生依然生活在窘迫之中，诗人古尔贝格和作曲家魏瑟已不再给他提供资助，于是他搬到了一个船主的遗孀家中。他不想让房东知道他艰难的处境，每天都假装出去到其他地方吃饭，其实他只是坐在皇家公园的一条长凳上啃一小块面包，这是他一天全部的食物。安徒生冷极了，偌大的哥本哈根没有一个地方是真正属于他的，他感觉寒风中瑟瑟发抖的树叶都在可怜他，可他并不想接受这些同情！他需要温暖，真心渴望能够得到别人善意的回应，哪怕只有一点点！

安徒生并没有因为贫穷而感到被遗弃，他想到了上帝，他心中敬爱的上帝一直和他在一起，坚信上帝是不会放弃他的。新年来临时，他许下了一个真诚的愿望，这是他一直以来盼望着的，他希望能在一出戏中演一个受人肯定的角色，他甚至跑到舞台上高声做了祷告，他坚信在上帝的指引下他一定可以获得这样的角色。

这个春天来临时就是安徒生在哥本哈根的第三个年头了，过去的两年他在四处奔波和时时而来的失望打击中度过，好在每到自己快要走不下去的时候，幸运之星就会来敲下他的窗，生活中还是会不停地出现一些愿意帮助他的人。可他毕竟还只是一个少年，他不再像童年一样无忧无虑，他感到有些压抑，他太久没有像小时候那样在树林里呼吸自由的空气了，他多么想念树林里的那些小伙伴，他想念那里嫩绿的树叶儿，想念围绕在他身边的蝴蝶，想念在树林里他安静地做会儿美梦……

安徒生郑重地告诉自己不能再这么消沉地待下去了，他要换一个地方，他想到了腓德烈斯贝宫。公园的空气中弥漫着一种清香与甘醇，他深深地呼吸了一口空气，感觉到自己的身体和心灵正在慢慢复苏，他仿佛看到那一丛丛的小草正此起彼伏地对他招手，一只黄色尾羽的小鸟悄悄地落在了他的肩头，他陶醉了，他张开手臂拥抱了一棵大树，亲吻了它粗糙的“外衣”，王宫中的警卫问身边的人他是谁，是不是精神有问题，他害怕再次被当众嘲笑，没有进行任何辩解，默默地低头离开了。

经过了一段时间的变声期，安徒生的声音恢复了一些，他又从一个合唱队的歌唱监督那里得到了机会，有了更多登台表演的机会之后，他可以坐到大厅后面去看戏了。剧院就是他全部的世界啊，他是那么热爱那个地方，他连做梦都愿意一直待在里面，即使不能登上舞台，只是站在舞台边看看也好，只有剧院能够让他如此着迷！这样一来，他就没有那么多时间去老师那里学习拉丁文了，他甚至还觉得不去是合理的。

安徒生不断地缺席拉丁文课，这让古尔贝格

非常生气，古尔贝格狠狠批评了他，甚至说他不要再演戏了，这是安徒生长到那么大受到的最严厉的批评，也是他最不想按照古尔贝格说的去做的事情！没有人能够阻挡他登上舞台的热情！在以后的岁月里他逐渐体会到了古尔贝格的良苦用心，他为自己的无知而后悔，也在心底深深地感谢这位真心教导他的老师！那时候他对别人善意的依赖达到了一个顶峰，他需要别人对他真诚的指引。安徒生渐渐意识到由于自己的自卑、孤独以及外界时不时对他的恶意，给他带来了内心无法承受的黑暗。他时常感觉自己生活在一个暗仄潮湿的黑洞里，他看不到前面的路，没有能够带他爬出洞口看到光明的绳索，他怕极了，他怕自己会无休止地掉下去！但他还是坚定地告诉自己，内心一定要保持着“纯真的本性”。

安徒生在“巴克居”认识了当时丹麦著名的政治家克里斯钦·科尔比昂森的遗孀，科尔比昂森夫人对他充满了同情，邀请他一同去“巴克居”。能进入这些名流聚会的地方对他来说无疑是重要的，现在他已经不再满足于仅仅站在舞台上了，他要继续写作戏剧。

“巴克居”对安徒生来说是一个充满魔力的地方，主人拉贝克曾经在一首名为《赠给我的巴克居》的诗里写道：

> 包茜丝和菲勒蒙就生在这里，
> 也死在了这里，
> 两人在高龄中交臂拥抱而去。

包茜丝和菲勒蒙都是希腊神话中的人物，是一对恩爱的夫妻。有一天，宙斯和赫尔墨斯来到他们的小茅屋里，这对夫妻并不知道这是天神降临人间，很热情地拿出家中最好的食物招待他们。两位天神被夫妻俩的善行感动，赐予了他们同样的寿命，这样他们可以一起走入天堂，天神还将他们破旧的茅屋变成了神庙。当宙斯后来发怒，命令洪水漫过他们俩居住的山谷时特意宽恕他们，他们死后变为了柞树和椴树。这是一个充满魅力的神话，拉贝克希望自己和夫人能像那对恩爱的夫妻一样，长长久久地在一起，“巴克居”就是他们居住的神庙。

拉贝克夫人对安徒生很照顾，她会耐心地看完安徒生写的喜剧，还会指点上一二。有一天，安徒生要去拜访科尔比昂森夫人，拉贝克夫人拿了一束玫瑰花递给他说：

“亲爱的孩子，请你把花带去给这位国务参事夫人吧，她一定会因为是从一位诗人手里接过玫瑰花而高兴的！”

安徒生心里感动极了，极少有人用这样的语气跟他讲话，更没有人把他称作“诗人”！“诗人”——是他在家乡欧登塞的邦克弗罗德夫人家里，第一次听到的闪着光芒的词语，竟然在未来的某一天，有人称呼他为“诗人”了！

安徒生激动得不知道说什么好了，他的眼泪涌出了眼眶，因为拉克贝夫人对他的尊重和称呼，让他的内心久久不能平静，“诗人”，一个多么美妙的词语！父亲如果在天堂里能够听到别人这么称呼他，肯定会想紧紧地把他拥抱在怀里的。从那一刻起，他开始把自己的心思花到写诗上去了，以前他写的那些诗不过是抒发自己的苦闷罢了，现在他要用心去创作了，因为有人开始说他是诗人了！

从拉贝克夫人那里，安徒生不仅得到了渴望的尊重，还收获了一个好朋友，一位叫作齐勒的诗人。这位诗人也会演戏剧，安徒生是在看过他演的《朝圣者》之后，和他成了好朋友。齐勒身上有着巴格森所说的“纯真的天性”，文学感觉很好，能够在作品中投入自己真挚的情感，并且有着柔软善良的内心。齐勒耐心地倾听安徒生的诉说，从来没有嘲笑过他的想法，齐勒是那时候唯一能让脆弱的安徒生愿意把自己内心最真实的一面展现出来的人。安徒生渴望了很久的幸福在一点点朝他走来，他还在期待更多的温暖和尊重，最期待的是别人对他的创作的肯定。

“你真应该上学”

安徒生虽然结识了越来越多“上流社会”的人，可由于他贫穷的出身和贫困的生活处境，周围对他的讥讽和恶意没有一丝一毫减少。很幸运的是，他认识了一位受到世人尊敬、慈祥安静的老妇人——曾经的丹麦皇室钟表制作师乌尔班·约根森的母亲。安徒生从小就熟知的丹麦伟大的戏剧作家霍贝尔，常常在礼拜日到这位老妇人的父亲掌管的林区与她父亲谈论政治。老妇人给安徒生讲了很多她年轻时候经历过的和霍贝尔有关的趣事，并且很愿意给安徒生高声朗读她喜欢的作品，每当这时候，安徒生就安静地靠在她腿边认真听着，想起很爱他的祖母。

老妇人讲起了她流亡在外的儿子，这个儿子参加了战争，并且跑到了冰岛，还成了那个荒岛的国王。她不仅给安徒生说起这件很不可思议的事情，还时不时讲一些她日夜思念的儿子在孩童时期就显露出来的性格给他听，这些都让安徒生听得入了迷，这些事情对他来说都太有吸引力了。

有一天，这位老妇人用很真诚的口吻说道：

“你是一位诗人呀！说不定你可以像欧伦施莱厄那样有名！可能再过十年你就能成名了！但那时候我可能已经死了，请一定不要忘记我！你真应该上学！”

她说的每一句话都深深印在了安徒生的脑海里，那一刻他有了一种从未有过的庄严感，他仿佛变得和周围那些嘲笑他的“高贵的人”没什么区别了。那时候他认为自己肯定不可能成为一位像欧伦施莱厄那样家喻户晓的诗人，但他开始认为自己应该去上学，应该去接受更严格的专业训练。他想起之前林格仁对他说的那番话，心中有些羞愧，他内心对上学的渴望越来越强烈，这也是父亲当年的愿望，可是上学对于他来说真是件相当奢侈的事，他连最起码的温饱都得不到满足。

欧伦施莱厄不仅是一位诗人，还是非常著名的剧作家，给安徒生留下最深刻印象的是他写的童话剧《阿拉丁和神灯》，他对剧中的阿拉丁产生了强烈的共鸣。《阿拉丁和神灯》的故事在这部剧当中，阿拉丁是一个充满朝气、热情、想象力丰富，而且非常善良的孩子，始终与巫师展开各种较量，最终掌控了神灯。

安徒生多么希望自己也可以找到那盏属于他的神灯，他迫切地需要神灯的光芒笼罩着他，他想象着自己抚摸着属于自己的那盏神灯，那种温暖的光芒让他微微地闭上眼睛，这太美好了，他享受着幻想带给他的快乐，他想为了这温暖的光芒坚持下去！安徒生慢慢地意识到他心中的那盏神灯，就是萦绕在他脑海里的诗歌，是他想要创作出来朗诵给大家听的诗歌。

他下定决心要去上学，首先得筹集一些学费才可以。他写了一出悲剧，送到了皇家剧院，心里想着如果剧本能够被采用，他就能拿到稿酬，就能有钱去上学了。在这之前他曾写过一个无韵诗体的悲剧，那是一篇根据德国的故事《林中教堂》改编的文章，安徒生拿给古尔贝格看，古尔贝格只是把它当作一篇丹麦文习作而且禁止他投稿。

古尔贝格认为安徒生的语言基础太差了，应该再认真地学习几年，把文法和词语都搞懂才能继续做自己想做的事情。可安徒生哪里理解这些，他倔强地进行着创作，这次他写了一出叫作《维森贝的强盗》的“爱国悲剧”，里面的情节完全是他自己想象出来的，用了十四天就完成了，他为自己高效率的创作感到骄傲。这部剧是匿名投出的，只有被录用了之后才能公开作者的姓名，他把这件事情当成秘密告诉了春诺·隆小姐。

春诺·隆小姐是在他行坚信礼时认识的朋友，她是那次参加坚信礼仪式的人当中最高贵的一位，她不但没有像其他人那样鄙视他，还很友善地跟他打招呼，并且送了他一朵玫瑰花。后来他才知道他来到哥本哈根的同一时间，春诺·隆小姐也来到了这里。春诺·隆小姐在拜访科尔比昂森夫人的时候提起了安徒生，这样他才有了结识那些上流社会名人的机会。安徒生告诉她自己创作了《维森贝的强盗》这个秘密之后，她请人把安徒生的稿子整理了一遍，安徒生当时的语言水平的确很差，基本没有拼写正确的字，春诺·隆真诚地告诉他以后应该好好听那些长辈们对他的学习提出的建议。

六个星期之后，皇家剧院对他的剧本有了回应，退稿信中很不客气地说这是一部没有教养的作品，他们不希望再收到这样的稿件。这对安徒生的打击可想而知。

1822 年 5 月，也就是安徒生来哥本哈根的第四年，他被告知剧院要把他从合唱队和舞蹈队“除名”了，因为他们认为他不会在这上面有什么大的成就。同时希望安徒生的朋友们能帮助他去接受教育，从而学到些真正有用的东西。

安徒生再次感到绝望，但是转念一想，他都在这里待到四个年头了，应该坚持下去。他想到了继续给剧院写剧本，而且执拗地认为剧院必须要接受他的投稿。安徒生根据桑木绥的故事写了一个叫作《阿尔芙索珥》的戏，他对自己作品中的前几幕非常满意，于是立刻鼓起勇气拿着他写的剧本，去拜见了海军上将彼得·乌尔夫，乌尔夫是最早将莎士比亚戏剧翻译成丹麦文的人。

“先生您好，您翻译了莎士比亚的很多作品，我很崇拜他！不过，我也写了一部戏剧，请您聆听！”

乌尔夫后来回忆起他们初次见面的情景时依然津津乐道。当时，乌尔夫被这个瘦瘦高高的少年的勇气震惊了，热情地邀请他共进午餐，安徒生哪里还能再多等一分钟，他一口气念完了自己的剧作，并诚恳地希望乌尔夫能给他些中肯的评价。安徒生问乌尔夫自己还能不能在戏剧创作上有所成就，他是多么渴望自己能取得些成就。乌尔夫真诚地把自己的意见说给了安徒生听，并且邀请他今后经常到家里来交流剧本。

安徒生随后去拜访了奥斯特，奥斯特是一位物理学家，是电磁的发现者。奥斯特最初像很多人一样对安徒生只是充满着同情，但经过一段时间的相处，他发现了安徒生身上奇特的地方，他愿意和安徒生成为真正的朋友。

奥斯特在日后成了安徒生创作的重要的精神支柱，无论安徒生写什么作品，他都坚定地支持着他，他甚至预言将来会有那么一天，安徒生能在丹麦收获成功并获得全世界人民极大的尊重和认可，他将享受到任何一位丹麦诗人都未曾有过的殊荣。安徒生一直沉浸在这无限的信任和朋友给予的爱里，奥斯特的孩子们也与他的关系很好，他们一直相处得十分融洽，奥斯特成了安徒生一生的好朋友。

当时还有位对安徒生很好的牧师古特菲尔德，古特菲尔德在读过了他的悲剧《阿尔芙索珥》之后，亲自写信将这个剧本推荐给皇家剧院的经理部，很遗憾的是这部作品也被退回来了。这下让安徒生觉得真是要无路可走了，整个夏天他都把自己关在屋子里，他拼命地阅读国外那些著名的戏剧作品，渴望能从中再得到些灵感。

在那个难熬的夏天，安徒生第一次读到了英国小说家沃尔特·司各特的作品。沃尔特·司各特是英国著名的历史小说家，是欧洲历史小说的创始人，他的作品有很多历史人物的故事，这些历史人物在他的笔下犹如要活过来一般，他不仅描写历史人物还描写一些普通劳动者的事情，他的笔触自然浪漫，对荒原风景充满着一种特别的热爱。这些描写深深吸引了失意的安徒生，他从司各特的笔下仿佛看到了一个新世界。

遇到那个父亲般的人

1822 年，正当安徒生的人生陷入巨大的迷茫而不知道如何往前走的时候，他遇到了如同父亲般的人——约纳斯·科林。在此后的人生中，安徒生把这位国务参事、丹麦著名的社会活动家当成了自己的父亲。牧师古特菲尔德再一次帮助了他，正是由于他的引荐，安徒生才有机会第一次走进了科林的家。他又有了一个新“家”，这个“家”深深影响了安徒生的一生。

安徒生对约纳斯·科林的第一印象并不很好，约纳斯·科林锐利的目光，严肃的面庞，令安徒生站在他面前不由自主地低着头，他害怕这样严厉的审视，实在不知道这次见面究竟对他有什么意义，他只是觉得这是一个受人尊敬的大人物。约纳斯·科林曾经两度出任皇家剧院的经理，自然有很高的戏剧修养，他对安徒生的作品《阿尔芙索珥》只表现出一种淡淡的态度，这让安徒生感到这个人根本就是对他极不友好的人，更不敢奢望得到更多的关怀。

几天之后，安徒生被叫到了剧院的经理部，拉贝克已经等在那里了。由于安徒生之前经常去他的“巴克居”，拉贝克对安徒生有些印象，他把《阿尔芙索珥》的稿子递给安徒生，说这部作品现在还不能用，但他看到了一些安徒生写作的亮点，他认为安徒生很有自己的想法，但要去学校从最基础的文法学起，只有刻苦努力地学习才有可能在将来的某一天取得成功。

最令安徒生没有想到的是，那个之前看起来对他极不友好的约纳斯·科林，他已经把安徒生的情况告诉了腓德烈六世，腓德烈六世同意在接下来的几年里，拿出一笔钱来让他维持生计。腓德烈六世还把他的情况告诉了教育部门，他们决定免费送他去斯劳厄尔瑟城的文法学校学习。这些对安徒生来说，真是从天而降的巨大的好消息，他抑制不住心中的兴奋，差点儿叫出声来：

“天哪，我真的可以去上学了！敬爱的上帝，您看到了吗，在您的指引下，我可以去上学了！亲爱的父亲和祖母，你们都知道了吗，我可以去上学了！正在洗衣服的母亲，您听到了吗，我可以去上学了!”

安徒生第二次走进约纳斯·科林的家是去致谢。约纳斯·科林对他态度温和了许多，他告诉安徒生有任何的需求都可以写信给他，无论遇到什么样的困难，他都可以提供必要的帮助。安徒生觉得自己又重新活过来了，可以拥有崭新的生活了，他甚至不太相信这是真的。

在安徒生动身去斯劳厄尔瑟城文法学校之前，他还有一件很重要的事情要处理。他请欧登塞的一位熟人帮忙印刷自己的《阿尔芙索珥》和一个以丹麦传说中的英雄为主角的故事《帕尔纳托克墓的鬼魂》。安徒生跑到这个人管理的印刷厂，可是不知道为什么关着门，他没有其他的办法联系到这人，让他有些沮丧，但很快把这件事情抛到了脑后。

多年以后，安徒生的这两部作品在没有经过他同意的情况下出版了，让他欣慰的是内容并没有什么变化，还保留了他的第一个笔名——威廉·克里斯钦·沃尔特。

这个笔名包含着威廉·莎士比亚和沃尔特·司各特的真挚的热爱，他们的作品给了安徒生不断前进的力量。安徒生最初的戏剧只是对沃尔特作品的简单模仿。他在《阿尔芙索珥》的序幕中写道：

我只有十七岁，

我这里带来了，

一个用山毛榉的根和丹麦花朵编成的花环。

这一年，安徒生十七岁。在一个明媚的午后，他搭上了去斯劳厄尔瑟的车，他对即将开始的学校生活充满了期待，他给母亲写了一封信，告诉她自从自己到哥本哈根以后最幸福的事——他要去上学了！

安徒生相信在他的世界里一定有梦神奥勒·卢科伊存在，是梦神给了他力量，帮他实现着所有的愿望。十七岁时，他实现了好几个愿望：登上了皇家剧院的舞台，走进了一个一生都对他影响深远的"家"，遇到了父亲般的人，有机会去文法学校学习，还能继续坚持他的写作梦想！这些真的都实现了，那时候的他太幸福了！

第三章
意想不到的求学时光

学校生活的苦与乐

1822 年 11 月份，为了赶上学校的开学仪式，安徒生和一个刚刚通过入学考试的年轻人，搭乘邮车前往斯劳厄尔瑟。年轻人得知安徒生是要去那里读基础学校，面露难色地说如果他也像安徒生这么大的年纪，还要和一群小孩坐在一起上课的话，一定觉得是最难为情最不幸福的事了。而安徒生对新的学校生活太期待了，根本没把这年轻人的话放在心上。

此刻的安徒生想的全是去学校认真学习，只有这样才能有机会写出好的剧作去发表，让周围的人们都能知道他、尊重他、认可他。他现在并不需要赚多少钱，他不看重财富，但他极其看重荣誉，属于他的荣誉，可以真正地被称为剧作家和诗人的荣誉！

到达斯劳厄尔瑟之后，他住到了一个体面有教养的遗孀家里，生活条件有了一定改善。早晨醒来他推窗望去，看到了花园和田野，他不再到街上游荡，不再每天只有一个面包来充饥。安徒生的眼中有了许多明亮的色彩，他可以在自己的房间里悠闲地坐下来，他能够看到花园里开的各种小花，它们有的很活泼喜欢跳舞，有的则经常羞怯地低着头默默自语。他眼前的一切都鲜活起来，他看到对面街上玩耍的小孩子，有时候还想去加入他们的游戏。

可是学校生活并不轻松，和安徒生期待的很不一样，生活虽然变得比以前好了许多，但内心的苦闷也多了一些。他知道有很多人在期待他的进步，有很多人要求他比别人更勤奋。由于安徒生基础很差，他被编在了二年级，和一些小男孩们坐在一起读书。他们有时候会对他搞恶作剧，上课抓他的衣角，趁老师不注意的时候挠他的头发，这些并没有让安徒生感到太生气。最让他感到压抑得透不过气的事情，是他听不懂上课的内容，尤其是数学、文法和地理。

斯劳厄尔瑟文法学校的校长梅斯林受了约纳斯·科林的嘱托，要着重监督安徒生的学习，他对安徒生格外严厉，有时也讥讽安徒生太笨了，这让安徒生特别难受。安徒生对校长很害怕，这也让他对日常的学习兴趣丧失了很多。有一次教唱歌的老师让安徒生写一首歌，他很快写了出来，合唱那一天大家确实演唱了他写的歌。以前安徒生肯定会因为自己对集体做出的这点贡献而高兴好多天，可现在他突然感觉到了极度的悲哀，他感到自己好像只能做这点事情。这种极度的悲哀像恶魔一样纠缠着他，有时候他还会莫名沮丧地想起校长讥讽他的话，安徒生逐渐丧失了自信和对自己的判断力，完全没了刚到哥本哈根时的少年意气。

有两件关于校长对待他的事情让他想不明白，其中一件是他们面对面的时候，校长经常把他说成是一个愚笨的孩子，但在给约纳斯·科林写信评价安徒生的时候，却经常说他很好，给予非常高的评价。但起初安徒生并不知道两人通信的内容，在学校里上课的他，一直认为自己在校长眼里什么都不是，而且非常蠢笨。直到安徒生离开学校之后，约纳斯·科林有一天把他叫到房间里，把校长与自己的来往信件拿给他看，安徒生这才看到信里的内容，对校长信里说的那些关于他的，与平日里极其反差的评价产生了很大疑惑。

另一件事让他更想不明白，虽然平时校长对他很严厉，但校长邀请去自己家里玩的孩子里面每次都有自己。回到家中的校长幽默风趣，愿意给他们讲好玩儿的故事，还拿出当时丹麦非常流行的玩具锡兵与他们一起玩。一返回学校，校长立马收起了在家时的笑容，对他严厉起来。安徒生心里很不舒服，他只能把校长想成是一个很情绪化的人，并不是有意针对自己。

安徒生是勤奋的，虽然他对自己的课程大多没有兴趣。有时他感到学习这些他看不懂的东西就像陷入了一个很深的大泥潭里，他拼尽全力找出口却怎么都摆脱不了，弄得浑身上下都不干净。他害怕自己不断地压抑内心，会让自己的心灵变得不再纯净，他还想一直拥有着那些“纯真的本性”啊！

安徒生有极不擅长的学科，当然也有成绩非

常优秀的学科：宗教、《圣经》史、丹麦文作文。他是虔诚的基督教徒，从小就听母亲给他讲《圣经》的故事，自然对宗教课和《圣经》史的内容感到亲切，他对上帝有坚定的信仰，学习这两门课程时，带着极其虔诚的心。丹麦文作文课是安徒生最喜欢的课程，在这门课上他能自由地发挥自己的想象，总能写出很有意思的文章。期末考试的时候，他在这几门课程上取得了非常好的成绩，校长第一次破天荒地夸奖了他。约纳斯·科林和古尔贝格知道了他在学校的进步，都非常高兴，只是古尔贝格告诉他别再写诗了，很多人都告诉他要好好学习，不要再写诗。安徒生的内心在这时候接受了他们的建议，他有很长一段时间都没有写过诗，他要把更多的精力放在学习上，那么多人希望他变得更好，他不能辜负他们。

安徒生在斯劳厄尔瑟遇到了一位对他以后的写作帮助很大的人，这个人叫巴斯特霍尔姆，是《西西兰报》的编辑，远离当时的名人社交圈，只潜心于自己的研究。巴斯特霍尔姆的为人和对学问的专注令安徒生心生敬意，安徒生结识他之后，就拿着自己写的作品前去拜访。巴斯特霍尔姆对安徒生纯真的性情和对戏剧、诗歌写作的执着产生了强烈兴趣，之后和安徒生一直保持着书信往来。1832 年，他写给安徒生的信里说了许多真挚的话，这些话深深影响了安徒生以后的创作：

> 年轻诗人一定要注意防止受虚荣心感染，一定要注意保持自己感情的纯洁和力量。我重复我的忠告：在求学的这段时间，尽量少写诗，要写也只是宣泄一下感情——在还需要找字眼、找思想来凑合时，一定不要写。只在魂灵被某种思想触动，心被某种感觉烘热的时候才写。用关注的眼光来注意大自然，注意人类生活和自己，以求得到写作最原本的材料。从周围的那些小事中找题目。动笔以前要从各个方面考察看到的东西。做这样一个诗人，就好像之前世界上从来没有过诗人一样，就好像不需要向谁学习一样——永远保持高尚的思想，保持心灵的纯洁和高尚。没有这样的纯洁和高尚，诗人的桂冠是永远不会落到转瞬即逝的人的头上的。
>
> 您忠实的汉斯·巴斯特霍尔姆
>
> 1832 年 2 月 1 日于斯劳厄尔瑟

安徒生对巴斯特霍尔姆充满了敬重，他的这封信中着重强调了心灵的纯洁和高尚，与之前巴格森希望他始终保持的“纯真的本性”是一致的。安徒生在心底坚定地告诉自己：无论如何都要葆有纯真善良的心性，对大自然充满热爱、保持持久的写作激情，让想象力在属于自己的圣地里无拘无束地奔跑。

学校里除了有令安徒生苦闷的学业，还有令他心生喜悦的事情。学校里有戏剧团体的彩排，安徒生经常去看。舞台上的街道布景是剧团里的人画出来的，保持着这座小城的味道，观看剧团表演的市民能在这些布景中发现自己居住的房子，人们看得津津有味，在安徒生的心里，能出来看戏的夜晚实在太美妙了。他还发现了一处令自己着迷、充满幻想与期待的地方——安特沃尔斯王宫。这座王宫是在一座修道院的基础上改建的，现在已经有些坍塌了，安徒生对地下室的发掘工作很有兴趣。他醉心于对这座王宫的想象，想象它之前金碧辉煌的样子，想象人们穿着漂亮的礼服在宫殿的正厅里跳舞。他能盯着王宫的墙壁看很久，他感到自己仿佛置身其中，跟着里面传来的音乐踮起脚尖，脱下礼帽轻盈地跳起舞来。

安徒生还在离安特沃尔斯王宫不远的乡下结识了一对善良的夫妇，这对夫妇对安徒生十分友好，很愿意他在学习之余，来到他们家里做客。他们总是拿出最好的点心来招待他，并认真地听安徒生讲述在哥本哈根时见到的一切。安徒生一直认为这一对夫妇，住得远离城中心，一定是违抗了父母为他们各自定下的婚约，偷偷跑到这里来的。他们的父母一定不希望这对夫妇在一起，但他们在乡下过得很幸福，乡下的空气里充满了欢乐，每一缕洒在他们小屋上的阳光仿佛都在祝福他们。

这对夫妇的小屋里干净温馨，桌上放着刚采来的鲜花，还有许多很好的书籍，安徒生得到了许可，能够随意翻看这些书籍。他们坐在一起吃甜点的时候，一些小鸟儿飞来站在屋顶上啾啾地叫着，安徒生把掉在地上和桌上的点心屑捡起来捧在手里，来吸引屋顶的鸟儿们过来吃。安徒生太喜欢这样的气氛了，他感到舒服自在，这时候他完全忘却了学业上那个黑暗的大泥潭，他又能在宽广的心灵原野上自由驰骋了。

安徒生喜欢“安息之丘”，他能站在那里四处眺望到很远的地方，尤其是晴空万里的时候，在那里待上几个小时是件特别幸福的事。安徒生躺在草地上，手里握着身边的小花儿，蝴蝶也来到他身边，小时候和父亲在森林里玩耍的情景又回来了，待他站起来的时候，总是要朝着欧登塞的方向望一望。安徒生的朋友巴格森——要他保持“纯真的本性”的那位，就出生在离“安息之丘”不远的考绪尔。安徒生站在“安息之丘”，一下想到巴格森来这里读书的时候，是不是也像自己一样，望向自己的家乡考绪尔的方向呢？想着想着，安徒生突然想家了，他想回欧登塞了！

安徒生以前在欧登塞的朋友古尔贝格上校，现在已经是一位将军了，古尔贝格一直关注着安徒生，知道安徒生已经开始去学校读书了，感到十分欣慰。在欧登塞的时候，古尔贝格将安徒生引荐给当时的克里斯钦王子，并且告诉安徒生如果王子问他最想要什么，他一定要回答去文法学校上学。现在安徒生终于凭借他在哥本哈根坚持不懈的努力，得到了上学的机会。学校快放暑假了，古尔贝格将军写信给他，诚挚地邀请他回家看看，并且给他寄来了路费。现在他终于能够回家了！

一想到马上能回到家乡，安徒生就抑制不住自己心中的喜悦！他开始意识到，自己来到文法学校之后得到的并不都是苦闷和悲伤，还有那么多人一直关注着他，他们都真诚地希望他能够学到更多的东西。安徒生在文法学校的勤奋学习也获得了回报，那些以前帮助过他的人，因为他开始受到良好的教育而愿意继续与他交往，他觉得自己能慢慢找回自信了。

当安徒生看到自己行坚信礼的圣克努德教堂的塔尖的时候，他知道自己如愿地回来了，回到了在过去的几年里只会出现在他梦中的家乡。他感到这是上帝的力量带他回来的，他闭上眼睛祷告起来，感谢上帝始终没有抛弃他，他热泪盈眶。母亲看到他的时候高兴极了，她都有些不敢相信，此刻站在她面前的是她亲爱的儿子，那个几年前坚持要去哥本哈根的儿子。

之前的邻居和其他认识他的人，包括在剧院发海报的皮特都跑到街上来看他，他们认为安徒生能够在哥本哈根生活下去，简直就是个奇迹！他不仅在哥本哈根有了一个“家”，还取得国家的资助到文法学校上学，这些都是太不可思议了！他们传着说鞋匠的儿子回来了，他混得还真不赖！欧登塞政务参事还把他领上了一座高塔，这座高塔刚修建完成，是用来观赏天象的，只有很重要的人才会被允许上来参观。

那是安徒生第一次俯瞰他从小长大的地方，此时安徒生心中有衣锦还乡的得意，虽然事实上当时的他还过得不算好，但周围的人已经认为他成功了；他感到离开欧登塞之后受的委屈和奚落，在登上高塔的那一刻都不算什么了。家乡始终都是那个踏实可靠的可以包容他一切的地方。他回来了！

离开斯劳厄尔瑟

等安徒生返回学校，他在家乡获得的喜悦与幸福就全都不见了，他又开始陷入学习的苦闷，但是很快他结识了一位一生的挚友——诗人英格曼，他的生活又晴朗了起来。一次偶然的散步，安徒生来到了英格曼所在的索榆学院，英格曼是那所学院的院长，在当地很有名，安徒生自然要去拜访他。

年轻的安徒生十分愿意与人结交，虽然他会

因此听到一些很难听的话，但通过这样的方式，他与很多志同道合的人成了好朋友。如果当时安徒生因为别人对他的出身、教养的讽刺和谩骂而退缩，不敢再去与其他人交流的话，我们可能就看不到后来闻名世界的童话诗人了！安徒生很愿意与优秀的人结交，他从来不缺这样的勇气。

当时的英格曼新婚宴尔，他的妻子在安徒生看来充满了灵气，心地极其善良，他愿意把她当成自己的姐姐看待。安徒生愿意和英格曼夫妇待在一起，他们二人的家里充满了安徒生羡慕的诗意，屋内大厅摆放着一些油画，有一个几乎挂满所有欧洲、丹麦著名诗人画像的花厅。安徒生来这里做客的时候，英格曼夫妇每次都要招待他在花厅里喝下午茶，与他畅谈当时丹麦文坛的诗人们。英格曼夫妇的花园特别大，随意种些什么都长得特别茂盛，每个季节都有不同品种的花儿尽情绽放，坐在花厅里就有花香扑鼻而来。

安徒生从英格曼夫妇身上感受到了纯真、可爱的心性，他们对安徒生非常好，带着他在湖上划船，一起在水面上唱歌，湖里的水是那样清凉透明。从那以后的许多个夏天，他们经常邀请安徒生到家中做客。安徒生与英格曼夫妇的情谊随着时间慢慢加深，安徒生觉得他们太善良了，任何人和他们待在一起都能被强烈地感染。安徒生成名之后，在一幅画作上写过缅怀英格曼的文字，现在读来还让人动容，也更能让我们感受到英格曼带给安徒生的那种纯净。

1825 年夏天，安徒生再次回到欧登塞，古尔贝格将军邀请他住在自己家里。他从古尔贝格将军那里，听说了当初那位帮他给舞蹈家莎尔夫人写信的书籍印刷商伊弗森已经过世，上次安徒生回来的时候还去看望过他。安徒生马上带着感恩的心情去祭拜了这位无私帮助过他的老人。他还给祖母、祖父、父亲扫了墓，敬献了鲜花，父亲的墓周围长出了许多玫瑰花，玫瑰花在这里守护着父亲。安徒生在他们的墓前站了好久，他轻声地告诉他们，他已经去上文法学校了，可能在不久的将来还有机会去上大学。

在古尔贝格将军家里，安徒生依然保持着朗诵诗歌的习惯，古尔贝格没想到他如此执着，之前他们都认为他根本不适合写诗、写戏剧。以前有人问他对诗歌和戏剧如此狂热，难道就不担心别人把他当作疯子么，周围有那么多人在看他的笑话，他难道还要继续下去吗？

“你就这么热衷这些东西吗？”古尔贝格忍不住问。

安徒生停下朗诵，目光坚毅，默默地点头。

回到学校之后，继续学习枯燥的文法和数学课。他在学校的日子太枯燥乏味，他只希望时间能快点儿走，他想赶快通过学期考试。如果能拿到一份像样的成绩单的话，他就能高兴地回到哥本哈根约纳斯·科林的家了。日子一天天过去，生活的单调使他产生了要写些什么的想法，他开始记日记。安徒生在学校记的日记里，有许多他用戏剧的语言，把自己内心的压抑，宣泄呐喊出来的内容：

“礼拜四。撕掉了一个蜘蛛的一条腿！数学考得不错。上帝，上帝，我衷心地感谢。”

“礼拜六。上帝！现在我的命运已经被决定了，但是还没有告诉我，还等什么？——上帝！我的上帝！别抛弃我！我的血在血管里急速地流淌着，我的神经在颤抖。”

安徒生希望他能够顺利通过考试进入到四年

级学习，二十岁的自己除了能写写日记，好像再没有更好表达心情的方式了。安徒生没想到自己的学校生活，很快要跟随校长的离开而发生改变了，梅斯林申请到了空缺的赫尔辛厄文法校长的职位。安徒生被校长叫到办公室里，起初他很害怕，他不知道是不是因为自己期末考试成绩特别差。后来得知了自己来这里的原因。原来是校长希望他一起去赫尔辛厄的文法学校，校长说会单独教他，而且再过一年半他就能成为一名大学生了。如果留在现在的学校，他不会有这么好的前景，梅斯林要求他立即搬到自己家里住。安徒生认为这不是一件能自己做主的事情，于是写信给了约纳斯·科林。约纳斯·科林很快同意了他跟随校长去赫尔辛厄文法学校学习。

安徒生要离开斯劳厄尔瑟了，他有些舍不得在这里结识的好友们，他买了一本纪念册，让他们在上面为他留言，并且告诉他们要经常与他通信。其中卡尔·巴格尔写了一首让他觉得特别好的诗，他既难过又感动。难过的是他可能再也不能与他们经常见面了，感动的是巴格尔竟然那么理解他，这首诗让他感到自己的离开，是为了要去当诗人，而不是继续去过让他烦闷的学校生活：

悲伤时刻悄悄袭来的时候，
他常常没有挚友的安慰；
狂风暴雨的肆虐，
彻底打碎他的希望。

就这样，怯弱的泪也不可流淌，
诗人的思绪也不得淡漠；
而是要努力在自己身上找到
他的慰藉、希望和他的桂冠。

以男子汉的气概打好这一场艰苦的仗，
但是要保持住童心的纯真；
因为，精神的灯并不会把它那一丝光
投到你的身上。

巴格尔很理解安徒生的想法，言语中充满了对他的鼓励，并且希望他不要丢掉身上“童心的纯真”，他的朋友们在他的身上找到了纯真的本性，他们都认为那是他最可贵的地方。安徒生觉得温暖极了，朋友们对他的理解让他感到与他们结交是那么美好，他们是真诚地与他交往的。安徒生为自己有这么多真正关心和爱护他的朋友而感到欣慰，尤其是巴格尔和英格曼夫妇。

安徒生跟着校长启程了，路上的风光令他陶醉，他第一次看到了松德海峡，松德海峡的美景让他仿佛置身于一幅世界名画之中，他就是那张画里的主角，他在给拉斯姆斯·纽厄鲁普的信里讲了这一路上看到的一切。安徒生认为那是自己写的一封非常不错的信，一路的美景被他用美妙的文字记录下来，读他用心写的文字的朋友，一定会感到非常愉悦！安徒生认为他的信，因为有了美妙的文字而具有了蓬勃的生命力，他太满意了，马上把这封信抄录了好多封，寄给了他的朋友们。

纽厄鲁普收到安徒生的信后，认为安徒生的信写得很好，简直就是一篇美文。于是，把这封信的一部分收录到了《对哥本哈根的记述》里。这本书在1826年出版，信里的内容，成了安徒生第一次公开发表的文字。安徒生的其他朋友看到了书里的内容，纷纷认为就是自己收到的那一封。

来到赫尔辛厄文法学校之后，校长渐渐收起他以前对安徒生的那种严厉，可是这种状态没有维持很久，安徒生再一次感到自己被抛弃了。

安徒生经常待在自己的小屋里不愿出门。在赫尔辛厄的学校里，安徒生除了上课就是待在图书馆里，学校生活再次给他戴上了极重的枷锁。安徒生害怕那些他怎么学都无法弄明白的课程，他害怕回答老师们提出的问题，他极怕说错了之后，老师会告诉校长，他极有可能再被校长说成是一个愚笨不堪的人。在学校里的每一天都过得那么漫长，安徒生难受极了，他想摆脱这种状况，却又无计可施。他在赫尔辛厄校长的家里足足煎熬了一年零三个月。

虽然安徒生对地理课并不擅长，但他还是尽自己最大努力去学，他的基础很差，必须从最基础的知识学起。有一次校长问他为什么丹麦没有高山，校长说安徒生比其他同学都大好几岁，理应知道答案。他被这突如其来的一问弄得十分紧张。

“大概是受冰川时代的影响吧。”安徒生有些战战兢兢地回答。

“什么叫大概，这个答案难道还无法确定下来吗？再问你，丹麦平原的平均海拔是多少？”

"可能……大概……四五百米吧。"安徒生都快被他问结巴了。

"愚蠢，你认真学习地理了吗？我们国家最高的山不过173米，你平时就是这样一知半解吗？"

安徒生被校长这么训斥，恨不能马上找个地缝儿钻进去，周围的同学都笑得前仰后合，他尝到了被羞辱的味道，他极度讨厌校长的这种态度和语气！

安徒生内心很痛苦，他想到了约纳斯·科林，那个父亲般的人，他也许能从约纳斯·科林那里获得些安慰。安徒生给约纳斯·科林写信诉说他在学校的一切，也在信里反复地问，他究竟是不是真适合继续待在文法学校里学习。安徒生觉得自己可能会让他这位父亲失望了，他现在对自己完全丧失了信心，他得到的都是讥讽和指责。约纳斯·科林是他最尊重的监护人，安徒生想从他那里寻求保护。他感到此刻的自己就像是一只刚刚出生的身上只长了一层绒毛的小鸡，他太虚弱了，只能蜷缩在母鸡妈妈宽厚的翅膀下，他别无选择。

约纳斯·科林回信说很理解他的想法，还对

他说要给梅斯林去封信，要求校长给出一个说法。校长在 1826 年 7 月给约纳斯·科林去的信中说，安徒生是一个在天资、勤奋和操行方面都非常优秀的学生，这样的学生实在太难得了，他认为安徒生身上诚实的品质、对学业的执着以及绝对无误的天赋值得接受公众给他的任何支持，等到 1828 年 10 月他就能去上大学了。这封校长给约纳斯·科林的回信并没有让安徒生看到，即便那时候他亲眼看到信里的内容，也可能不会相信。他怎么也不会想到校长竟然会对他有如此高的评价，这与在学校里校长面对他时给出的评价截然相反，也许校长这么说只是因为他来上学是有声望的约纳斯·科林资助的。

约纳斯·科林给他回信了，对他是那样亲切：

> “别丧失勇气，把握好自己，冷静下来，你就会看到，一点事也没有。校长是为你好。他做事的办法或许与别人有些不同，但是他的办法会达到同样目的。”
>
> 上帝会使你坚强！
>
> 你的约纳斯·科林

收到了约纳斯·科林的来信，安徒生心里好受了一些，他想念约纳斯·科林了，想念科林家里那些兄弟姐妹了，也想他在哥本哈根的朋友们了。终于等到了圣诞节假期，他快速收拾行李离开了赫尔辛厄文法学校！哥本哈根的阳光才是属于他的阳光，哥本哈根的蓝天才是属于他的蓝天，哥本哈根的那个家才是真的家！安徒生需要更加坚强的身心，他需要更多的欣赏和鼓励，才有继续前进的动力。

《垂死的孩子》

回到哥本哈根的安徒生，又恢复到一个孩子般天真的状态，他拜访了海军上将乌尔夫，乌尔夫一家对他就像家人一样，这是第一个完全接纳安徒生的家庭。乌尔夫是当时海军军官学院的院长，他们的家在阿玛莲堡宫里，这家人没有因为安徒生的出身与他们有巨大的差距而排斥他、讥讽他。相反地，他们很喜欢安徒生，乌尔夫的妻子对他就像自己的孩子一样，而他们的长女亨莉耶特一生都忠实地理解他、支持他、爱护他。

在斯劳厄尔瑟学习期间，很多人告诉安徒生

不要再写诗了，他也听从了这些话，但有时还是抑制不住自己的内心。安徒生之前已经写过几首小诗，其中的《心灵》《献给我的母亲》是他最早发表的诗，被收录到了《全诗》中。在赫尔辛厄文法学校时，安徒生仅仅写了两首诗：《新年之夜》和《垂死的孩子》，《垂死的孩子》足以让他名字在丹麦的诗歌史上大书一笔。这首诗也是安徒生最早被翻译到国外去的诗，也是安徒生最著名的一首诗。

《垂死的孩子》是他在赫尔辛厄文法学校的时候悄悄写下来的，因为他觉得自己就像是一个垂死的孩子，校长时不时地在同学面前讥讽他。尤其在安徒生写了一篇关于梅斯林一家旅行的文章发表以后，校长异常愤怒，他认为安徒生不应该把心思放在玩弄文字上，从那之后他抓住每一次让安徒生难堪的机会，尤其是对安徒生写诗的打压，他坚决要求安徒生不要再写那些肮脏恶心的东西，他用了极其恶劣的词语来形容安徒生的诗歌。

其实除了校长，他的一些朋友也一直认为他应该继续学习，他的文字功底还不行。古尔贝格有次给他写信的时候告诉他，以后再要写什么，一定要把字典放在自己眼前，这样能够尽量保证自己的文字没有太多的拼写和语法错误。乌尔夫夫人也给他写信，告诉他一定要尽快地完成学业，他毕竟还是学生，而且是受到国王资助的光荣的学生，他不应该因为把过多的精力放在写诗上而辜负这种待遇。安徒生在斯劳厄尔瑟的同学也写信给他，让他把那些不切实际的幻想都消灭掉，总有一天他会被那些幻想吞噬掉。可安徒生不这么认为，幻想给他带来的多是美妙的感受，能带着他在宽广的原野上奔跑，他能够控制好自己的心灵，他手上有能够让自己停下来的“绳子”，自己不会因为幻想而做出什么出格的事情来的。

1826 年，他在赫尔辛厄文法学校学习了一段时间之后，觉得实在太压抑了，忍不住写了这篇抒发自己郁闷情感的诗歌——《垂死的孩子》。回到哥本哈根之后，他把这首诗念给他的朋友们听：

妈妈，我真的累了，想睡觉了，
让我靠着你的胸脯打个盹儿吧。
别哭泣，妈妈，你要答应我，
因为你的热泪会烫着我的双颊。

这儿冷森森，外面狂风肆虐，
可在梦中，一切都那么美丽。

我合上眼睛，看到了可爱的天使。
妈妈，看到天使在我身边了吗?
你听到那美妙的音乐了吗?
瞧，他的一双翅膀多么洁白，多么漂亮，
那翅膀上闪耀的定是上帝恩赐的光芒。
绿色、黄色和红色在我眼前盘旋，
那是天使把鲜花抛洒。
我是不是活着就能长出翅膀，
还是得等到我死后才能实现?

为什么把我的手捏得这样紧?
为什么把你的脸跟我的脸贴得这样近?
你的脸湿淋淋，却像火一样滚烫。
妈妈，我永远都是你的孩子!
如果你哭了，我也会跟着你流泪。
啊，我真困，我要闭上眼睛了。
妈妈，你瞧，天使在亲吻我!

朋友们听了他写的诗歌之后，评价不一。有赞赏的声音，有要求他要谦虚的声音，还有一些人认为他不要以为写了几首小诗就成为诗人了。可在安徒生看来，能把自己写的诗念给大家听已经是一件令他感到无比幸福的事情了。在一次聚会上，他见到了童话剧《阿拉丁》的作者，那个在他心中最敬重的诗人阿达姆·欧伦施莱厄。是欧伦施莱厄创作的“阿拉丁”，时时刻刻给他力量，安徒生觉得自己能够亲眼见到这位诗人，实在太幸运了！

美好的假期很快结束了，安徒生又要回到时常让他做噩梦的校长的家和学校里去了。一回到校长的家，他就赶紧把自己锁到屋子里，很害怕校长看到他，可是校长怎么可能看不到他呢？校长进了他的屋子，安徒生立马低下了头，校长问你的诗呢，拿出来给我看看。安徒生知道他是说那首《垂死的孩子》，肯定是他在哥本哈根朗诵这首诗的时候有人告诉了校长，极其不安的心情在他的心里滋生着，他浑身颤抖着把诗拿了出来。校长说如果他能在诗里找到那么一丝诗意就能原谅他，安徒生对这种原谅根本没有任何指望，因为他知道这是完全不可能的。果然如他所料，校长说他的诗简直是一些自作多情的废话，还用了一些极难听的话发泄对他的愤怒。这是安徒生遭受来自这个人的负面情绪最严重的一次，安徒生把这次会面视为一次爆炸性的灾难。

更严重的是，校长撕毁了他的诗，并且恶狠狠地对他说不要再写这些愚蠢至极的东西了，完全没有任何的意义。安徒生此刻所在的房间就是一座牢笼，可是他并不想被困住，他正在与一头凶残的猛兽搏斗，他一直认为在这间屋子的岁月是他一生中最黯淡最苦楚的日子。他多么渴望快些结束这煎熬的日子！

安徒生实在无法忍受不知道什么时候就会到来的一次与“猛兽”的搏斗，他不想再做那些血腥对抗的梦，他只想让美好的事情出现在自己的梦里。安徒生给约纳斯·科林写信，请求他允许自己回哥本哈根，他无法再待下去了！约纳斯·科林非常理解他，让他马上返回哥本哈根并且可以找人专门教他读书。安徒生感动极了，他几次向约纳斯·科林表达自己深切的愿望的时候，约纳斯·科林都给了他极大的安慰，他觉得自己无以为报！可想而知，安徒生做出回哥本哈根的决定让校长十分恼火。安徒生向他道别时，梅斯林还说安徒生永远都不会成为大学生了，他写的那些诗肯定会被人们当废纸一样扔掉的。

这次安徒生并没有在乎他的话，这些已经对他起不到任何作用了，他终于要回哥本哈根了。几年之后，安徒生的《即兴诗人》出版了，他在哥本哈根与校长梅斯林重逢，校长亲切地伸出了手向他表示问候，并且说当时不应该撕毁他的诗。此时的安徒生已经逐渐对那段岁月释怀了，他也许要感谢这个人，校长的压力在无形中成了他勤奋的动力，他必须要承认，如果没有经过那段令他痛苦的求学时光，他现在可能还不能成为一位真正的诗人。

安徒生在追求他的梦想时是十分勇敢的，在校长极力反对他写诗的情况下，从 1826 年到 1827 年的冬天，他竟然公开多年来隐藏着的对诗歌的冲动，下定决心把《垂死的孩子》发表了。安徒生再也不想压抑自己最真实的想法，要知道这样做很有可能让那些资助他的人撤销对他上学的资助，资助过他的人里有许多都对他写诗表示过不满，他们认为他应该把心思完全放到学习上。

1827 年 9 月 15 日，这首诗以丹麦语和德语两个版本出现在《哥本哈根邮报》的头版上。剧院的经理奥尔森给了他很大的支持，当时很多报刊根本不愿意用一个学生写的诗，但他的诗不仅发表了，而且是头版，这让安徒生喜出望外。《垂死的孩子》是安徒生享誉世界的诗。不仅丹麦人喜欢，很多国家的人对这首诗也十分称赞。在以前的文学作品中，“孩子”一直是以沉默、静止的形象出现的，也绝不可能作为作品中的主角出现，即使是在非常喜欢孩子的浪漫主义时代。

而在安徒生的诗里，一个垂死的孩子拥有着那么丰富的情感，虽然孩子将要死去，却让我们觉得死亡这件事那么自然，孩子对母亲的低语让人感到那么温暖，甚至还看到了重生的希望，依偎在母亲怀里的垂死的孩子是那么柔软。母亲的身影和仪态完全通过一个孩子的视角和言语来描述，孩子成了作品中的绝对主角，以往那种延续了很久的大人的思想，被一个年仅 22 岁的丹麦诗人颠覆了，他把死亡这个在以往作品中通常以庄严、盛大形象出现的事情，转变为了一个小孩子的自然感知。

安徒生在此后的童话创作中曾经写过一篇

《天使》,《天使》的开头这样写道:

“什么时候一个好孩子死了,上帝的一个天使就从天上下来,把死去的孩子抱在怀里,张开白色的大翅膀,带着孩子飞过活着时喜欢的所有地方。然后采集一大束花带到上帝那里,好让花在天堂比在人间开得更鲜艳。上帝把这些花紧紧地搂在胸前,但只吻那朵他最喜欢的,于是这朵花就有了声音,就能和大家一起合唱天堂之歌了。”

在故事的最后,当这个孩子和天使一起来到只有幸福和快乐的天国时,安徒生给了我们一个美好而完满的结局。

这篇童话写于 1844 年——安徒生 39 岁的时候,可能他一直想着要给那“垂死的孩子”找一个幸福的结局,终于,在他的童话里,这个“垂死的孩子”找到了最好的结局。

戏剧搬上了舞台

回到哥本哈根之后,安徒生跟随一个大学生学习,这个大学生叫路兹维·穆勒,穆勒在后来成了一位非常著名的牧师，可能他对于宗教太热衷了，竟然认为安徒生的宗教课是最差的，这让安徒生感到非常意外。之前在斯劳厄尔瑟和赫尔辛厄文法学校的时候，宗教课都是安徒生成绩最好的几门课之一，他心中对上帝充满了无限的热爱，母亲从小就给他讲《圣经》里的故事，他早已耳熟能详。

安徒生感觉到了空前的自在，他从斯劳厄尔瑟学校里的“大泥潭”和赫尔辛厄那里的“牢笼”挣脱了出来，在熟悉的哥本哈根的空气里畅快地呼吸着，他现在敢于表达自己心中的真理，他又能像一个纯真的孩子了。虽然这次给他上课的穆勒老师是个死抠《圣经》字眼的人，但安徒生觉得这个年轻人很特别，和他一样对于自己认准的事情总是那么偏执，性格也与大部分人不同，没被世俗沾染。

与校长在一起的时候，安徒生得到的多是羞辱和讥讽，自己以前温和的性格渐渐扭曲，他对诗歌强烈炽热的爱被无情打压，他现在一下子从那段最痛楚最悲伤的日子里挣脱出来了，他开始意识到自己的态度似乎慢慢走向了另一个极端。

安徒生的这一变化还表现在他随后写的诗里，以前他的诗都是自己悲伤情绪的无休止宣泄，现在他开始模仿着别人的诗作给自己的诗起了一些可笑的名字。而且这种模仿持续了一段时间，像《猫的抱怨》《对月亮的叹息》《猪》等作品就属于这一类，态度转变之后，安徒生写的诗显得轻松幽默起来。乌尔夫的长女亨莉耶特是在当时最理解他的人，每当别人攻击他的性格的时候，亨莉耶特总是站出来保护他。她对安徒生的呵护，几乎让他在学校那段难熬的日子里感受到的悲哀消失殆尽，他的性情也比以前开朗了许多。那个时期丹麦出现了许多诗人，写诗和创作戏剧成了那个时期的潮流，人们对文学充满了前所未有的兴趣。

海贝格是一位在当时的丹麦文坛地位很高的诗人，也是《飞航邮报》的主编，《飞航邮报》作为当时的文学评论刊物，上面的评论文章对人们有不小的影响。在奥斯特的一次晚宴上，安徒生第一次见到了海贝格。宴会之后，安徒生去了他家，并且把那段时间写的有些情致的幽默诗念给他听，他说这样的诗应该在他的《飞航邮报》上发表。很快安徒生的《黄昏》《恐怖的时刻》成为最先在上面刊登的文章，安徒生不确定自己的诗会不会受到大家的喜欢，因此他没有署上自己的真实姓名，用了“h—”来代替。

因为是在海贝格当主编的杂志《飞航邮报》上发表的作品，人们理所当然地认为这是海贝格写的诗。安徒生在乌尔夫家里朗诵自己的诗歌时，和他相识的一些人都说他的诗只是读起来比较顺罢了，没有多少动人的诗意。逐渐走出阴霾的安徒生，已经不把这些话当作讽刺了，他已经能够认真听取别人的意见，可能有些人只是为了他更好而已，没有要故意羞辱他的意思。他也不过是一个只有22岁的年轻人，谁会认为这样一个年轻人写的诗就比那些成名已久的诗人强呢？

“今天《飞航邮报》上有两首非常漂亮的诗！那个家伙，那个海贝格！”拿着报纸的人神采奕奕地高声把诗念了出来，念了完整的两首。

安徒生第一次听着别人在不知道作者是他的情况下，高声在大家面前念他的诗，那感觉简直太美妙了，他的脸上不觉露出得意的神情，他嘴巴稍微上翘，但很快平静下来，他努力克制住面部的表情不让别人觉察出来。

“是安徒生写的!”亨莉耶特激动地大声说了出来，时间好像一下停止了，出现了短暂的几秒安静。安徒生以为接下来大家会为他热烈鼓掌，这是他最期待的，然而热烈鼓掌的情景并没有发生。几秒钟过后，大家又嘻嘻哈哈地说着其他的事情了，这让他很失望。不过海贝格在之后又把《垂死的孩子》发表在《飞航邮报》上，《垂死的孩子》能够二次发表，这让安徒生感到获得了极大的认可，但他从周围人那里听到最多的，还是说他的诗写得稀松平常。

1828 年 9 月，安徒生成了一名哥本哈根大学的学生。欧伦施莱厄是学校的哲学系主任，他再一次亲切地与安徒生握手，安徒生觉得一定要把这件事当作一件对自己特别重要的事情写进日记里。23 岁的他还像个孩子，受到欧伦施莱厄的接见就像小时候拥有了父亲做的一件新的玩偶，他开心极了。

经历了自己在大学的第一次考试之后，安徒生有了把脑中那些幻想写下来的冲动，他喜欢在日记本里说许多话，他经常会把自己的幻想写在日记里，在日记里他想说什么都可以，再没有人可以嘲笑他的文字与性格，他决定写一篇《从皇家岛运河漫步到阿玛奥东端》的文章，这篇文章里充满了他的那些奇特的想法，读来轻松幽默，喜欢这篇文章的人，一定会有自己突然长出了轻盈的羽毛，要升到空中自如飞翔的感觉。《从皇家岛运河漫步到阿玛奥东端》表现出了安徒生的一些态度的变化——突如其来的游戏人生的想法，他甚至还嘲讽了以前在自己心中产生的悲伤情调。

没有一家出版商愿意冒险出版一个年轻人的第一篇作品，于是安徒生做出了自费出书的决定。但很快就有出版商找上门来，看过这篇文章的人都认为故事里的情节太令人惊奇了。那段时间人们对文学作品的青睐超过了任何事情，没想到这本书一次次地再版，很快，哥本哈根的人们都看过他的这篇文章了。后来不仅哥本哈根的人都看到了，瑞典法伦胡尔贝格出版社还把他的文章收录在文选里，这意味着除了丹麦，他的作品还能被其他国家的人看到。巨大的认可来得太突然了，要知道在当时，作品一次次再版这样的事情，只有在像欧伦施莱厄那样影响力巨大的诗人的身上才会发生。

《从皇家岛运河漫步到阿玛奥东端》这篇文章的成功让安徒生在同学当中大受欢迎，他沉浸在大家对他的赞赏中，他认为自己现在可以放手尝试着去写更多的文章。安徒生又动了写戏剧的念头，经过这几年的学习，他的文字和文法已经比过去强了很多，不再是那个当年写《维森贝的强盗》的时候几乎拼不对一个单词的他了。

这次安徒生要写的是一部充满了欢乐气氛的喜剧，他已经能把文字写得非常顺畅了，能把自己心中的喜悦之情融入作品当中。在写名叫《尼古拉伊钟塔上的爱情》这部充满英雄主义的轻歌舞剧时，他突然回想起自己在学校里读书的时光，他不再认为校长是"猛兽"了，正是因为那头"猛兽"对他的"压迫"，他才能加倍努力。通过那几年坚持不懈的学习，他笔下的语言更加流畅，文字功底越来越强，文章写得越来越好。只有文章写得好，他才能得到更多的认可与尊重。

他写的《尼古拉伊钟塔上的爱情》在学校的舞台上上演了。海报上面作者姓名那里，赫然印着他的全名——汉斯·克里斯汀·安徒生。演出十分顺利，同学们热情地高呼着他的名字，他们感谢安徒生写出了这么有意思的剧。他们把安徒生一次次地抛到空中表达对他的喜爱，这个场景曾经在安徒生的脑海里出现过很多遍，没想到这场景最终成为现实，令他终生难忘。安徒生太高兴了，他一定要和别人分享喜悦，他一个人根本无法一次性接纳这么多的快乐，他想到了亨莉耶特，他要快些与她见面分享这一切。

安徒生的梦想一个个地实现着，他的诗、他的文章、他的戏剧都受到了更多人的关注和喜爱，这段求学时光里发生的一切都让他意想不到。安徒生再一次向上帝祈祷，他感谢上帝没有在他最悲伤的那些日子里抛弃他！安徒生从来没有这么幸福过，他突然感到自己比任何时候都要自信了，他有了继续写戏剧的热情，他有了继续幻想的动力，更有了继续写诗的勇气！

第四章
旅行就是生活

领略“漫步”的魅力

安徒生的第一次真正意义上的“漫步”，是去日德兰半岛看了那里的暗礁和沙石，他被丹麦文学黄金时代的重要作家斯汀·布利克笔下——日德兰半岛上空旷粗犷的荒原景象所吸引，更为其中吉卜赛人迁徙至此的那些古老传说而着迷。第一次正式的海外旅行乘坐的是汽轮，那时候汽轮刚刚成为人们的航行工具，但在安徒生的心里，这艘海上航行的“大鲨鱼”在海中激浪里的前行速度，可能比小蜗牛的爬行速度快不了多少，花了整整一天一夜的时间，才到达这座他十分期望见到的岛屿。

轮船航行在连接日德兰半岛和哥本哈根所在的西兰岛之间的卡特伽特海峡的海面上时，很多奇特的幻想在安徒生的脑海中出现了。他想到了掌管这片深海的海神埃吉尔，不知道埃吉尔会不会顺着一条宽广的通道，突然率领他的骁勇善战的将领，声势浩大地出现在这艘船的面前。他想着埃吉尔会不会凶狠地把他带到深海的王宫里吃掉，但也说不定是友好地邀请他前去做客呢！

安徒生在甲板上幻想了太久，直至身体实在受不了，海浪时高时低带来的船身摇晃引起的眩晕，他踉踉跄跄地回到船舱休息了起来。黄昏时候，他终于抵达了半岛上一个叫奥胡斯的小城市，那里的人们已经读过了他发表的《漫步》，他们像哥本哈根的人们一样都很喜欢这篇文章，非常热情地招待了他。

“嘿，小伙子，您就是那个经常有着奇特想法的安徒生？”人们围着他兴奋地问道，“我们喜欢你写的《漫步》里那些神奇的故事！”

“是的，先生们，我就是安徒生，很荣幸见到你们。”安徒生高兴地脱帽向人们致谢，他没想到自己的作品竟然在哥本哈根和欧登塞以外的地方被这么多人阅读和喜欢。

安徒生没有预料到海上异常恶劣的天气，也没有做好充足的准备，只是在日德兰半岛上停留了几天。但他终于看到了布利克笔下的荒原，荒原确实荒凉，但那里的落日特别美，太阳离他很近，仿佛再走近几步就可以到太阳身上去“漫步”了。这里风沙很大，他擦擦眼睛继续看着眼前的一切，他喜欢这里，这里让他胸襟变得开阔，他幻想着自己变成一头在荒原上无拘无束奔跑的棕熊，没有谁可以阻挡他。

“一定是敬爱的上帝愿意让我看到这荒原的落日，我要感谢上帝，我看到了从没看过的景致，我被深深地震撼了！”他心里虔诚地想着。海上恶劣的环境可能随时让船上的人们陷入危险的境地，于是他与船上的其他旅客最终放弃了继续前往日德兰岛西海岸的行程，而是选择了南下，去往他的家乡欧登塞所在的菲茵岛。

安徒生从船上下来之后去了小时候帮助过他，但是已经去世的印刷商伊弗森老人孀妻的家乡，伊弗森夫人邀他在那里住了一个礼拜，那是他从小就梦想着要去住的地方。伊弗森夫人家里宁静舒缓的氛围给他带来了很多灵感，他每天都感到自己像是住在云中一样，阳光软软地拂过他的面庞，令他舒服极了。就这样他带着晴朗自由的心情又开始写诗了。

《漫步》保持了风趣幽默的特点，然而当时的很多人对这一特点嗤之以鼻，他们不认为安徒生一直保持这样的特色会有什么大出息，敏感的安徒生再次陷入郁闷的情绪当中。诗集《幻想与现实》出版于那个时候，他在诗集里表达了自己内心的苦闷。仿佛上帝能觉察到他的坏情绪，让一位名叫奥尔拉·列赫曼的年轻人与他相识。奥尔拉·列赫曼在家里常常说德文，安徒生就是在他的家里，第一次读到了德国文学史上著名诗人海因里希·海涅的作品，他被海涅诗中那诚挚纯粹的情感和闪烁着光芒的哲思深深感染，心中轻松了许多。

海涅很快成了影响安徒生青年时代灵魂的最重要的三个作家之一。另外的两个作家是德国小说家霍夫曼和英国小说家沃尔特·司各特。霍夫曼作品中讲的多是梦幻地、怪异地的故事，之前的《漫步》就是他吸收了霍夫曼作品中的怪异特色写成的；而安徒生最初写戏剧时用的笔名里其中的一部分，就是从沃尔特·司各特那里来的。

很多人对《漫步》的不屑一顾，不仅是因为其中风趣幽默的语言风格，还因为里面几处不合乎文法的文字拼写，他们将这些不符合规则的文字错误抓住不放。安徒生的文法功课确实比较差，文章发表之后，一些人将里面的个别错误当成了嘲笑他的把柄。面对这些指责，安徒生又被郁闷悲哀的情绪占领了。

安徒生刻意去听那些对他不好的评价，越来越悲观，陷在负面的评价里无法自拔，仿佛每天都有魔鬼在他心灵上施以各种各样的酷刑。他心灵的原野上开始出现一些极不健康的小洞，小洞的形状千奇百怪，这些小洞只有深深地吸收他的那些悲哀才能继续存活下去，所以它们贪婪地吮吸着安徒生的坏情绪。

安徒生一直因为自卑而格外敏感，心地善良、极愿对别人示好和接受别人对他的好，从他来到哥本哈根以后确实得到了很多好朋友的支持与帮助，他对朋友们时常怀着感恩和依赖。每当悲哀郁闷的情绪占领他心中原野上的一座高峰时，依赖感恩的情绪也会迅速占领另一座高峰，它们在他的心灵上形成对峙，这种对峙让他时常控制不了自己的情感。

“他们说得都对，我就是一个没什么教养的人，我出生在贫穷的家庭里，能受人资助读到大学就已经很不错了，还要写什么诗！”其中由郁闷和悲哀堆积而成的那座山峰上传来这样的声音。

“我的梦想就是要写诗、写戏剧，我就是要出名，只有这样我才能对得起资助过我的人们！我要比别人更努力，我一定会成功的，不管现在有多么不容易！”依赖和感恩情绪形成的山峰发出这样的呐喊，还击着对面那座山峰。

每当这个时候，安徒生的情感就会忍不住爆发，一方面他依赖着别人对他的认可，另一方面他又极其害怕面对别人对他的批评，而他唯一想得到的就是尊重，是人们承认他已经是一位真正的诗人了。他又想起了在学校里那段令他痛苦的禁锢日子，他几乎陷入极度的失望之中，他差点儿认为所有做过的一切最终将会令他失望。

约纳斯·科林对他的这些情绪表示了特别的注意和关心，他建议安徒生出去旅行，离开哥本哈根这个令他感到压抑的地方，外面的环境陌生而新鲜，可能会让他忘却这里令他不开心的事情，旅行也能让他遇到一些有趣的人和事，他相信安徒生一定能收获许多。安徒生决定去德国——此刻已经住进他心里的作家海涅的祖国。

1831 年春天，安徒生第一次离开他的祖国丹麦，正式开始了他的第一次国外“漫步”。他在德国第一次看到高大绵延的山脉——哈茨山。记起在赫尔辛厄文法学校时，校长严厉地告诉他丹麦最高的山不过 173 米。面对哈茨山的时候，之前那些曾经令他难堪的事情都已经是微尘那样小的颗粒了，随便一阵微风就能将它们吹得不见踪影。他从戈斯拉尔翻过布罗肯峰到达哈勒，眼前的一切令他震撼，他仿佛来到了另一个世界，一个离天空更近的地方，他抑制不住心中的兴奋之情，在布罗肯峰上写了一首小诗，他觉得自己站立在浮云之上，他和布罗肯峰融为一体，离天空更近了。

安徒生在哥本哈根的好朋友物理学家奥斯特为他写了一封信，把他介绍给在德国柏林的沙米索，他去拜访了沙米索，尽管安徒生的德文说得不流畅，但他们还是无拘无束地聊着对方感兴趣的话题，沙米索懂一些丹麦文，安徒生把自己出版的诗集送给了他。

沙米索成了第一个把他的作品翻译成德文的人，是沙米索第一次让德国人认识了安徒生这个丹麦青年。安徒生不仅通过这次海外旅行见识了新的世界，他作品的海外翻译也随着这次旅行开始了，这是他的作品向其他国家的人们展示的第一步。

沙米索十分欣赏安徒生，此后他成了安徒生忠实的好朋友。沙米索曾在《高教养人士晨报》上这样评价他眼中的安徒生："机敏、热情、有风趣和充满纯真天性的安徒生也能引起深邃的思考回响。他特别懂得用简单的几笔流畅地绘出一些小巧的图画和景色。""机敏""热情""天真"都是多么令安徒生高兴的字眼呀，他又结交到了一位真正能理解自己的朋友。

安徒生将他这次旅行中对德国的印象写成了一篇文章《哈茨山和萨克森瑞士旅行剪影》，丹麦国内的很多人都认为安徒生这篇文章中的文字水平有了很大的提高，里面对哈茨山景象的描绘令很多人充满向往。可还是有很多人时不时挑他的错误，拿他贫穷的出身、性格中的弱点来攻击他，安徒生无法一一应对那些指责他的人，这些指责在他的生活里持续了很长时间。

安徒生愿意在人群里高声朗诵他最新的作品，他喜欢自己创作的每一首诗，每一首他都视为珍宝。可在当时的丹麦，流行着这样一种风气，人们把那些当众念自己诗的人视为虚荣之人，就连他崇拜的阿达姆·欧伦施莱厄，也因为经常朗诵自己的诗而被一些人指指点点。安徒生没把这样的虚荣之说放在心上，依然我行我素。他心想既然自己是一位诗人，就应该大声将自己的作品念出来给大家听。只有他自己了解当时创作时的情感，朗诵的时候才更具有爆发力和感染力。

安徒生坚持着自己的诗歌创作，而且灵感时常在不经意间就出现了。除了写诗，他还给皇家剧院翻译过几出戏、写过歌剧脚本。他现在要靠写东西赚钱来养活自己了，不能仅仅依靠接受资助，只有自己有更多的钱才能买到合适的衣服和皮靴，他才能穿着它们去出席那些他想去的场合以及结交更多的朋友。在翻译的过程中，他发现意大利诗人卡罗·戈西创作的假面喜剧《渡鸦》非常有趣，于是很快为《渡鸦》创作出了歌剧脚本。

随后安徒生找到了一位年轻的作曲家为他的歌剧脚本作曲，这个年轻的作曲家约·哈尔特曼，之后成了丹麦很有名的作曲家，安徒生和他有过很多次合作，并且成了好朋友。《渡鸦》的故事来自一个童话，哈尔特曼在作曲的时候努力保持着属于童话的纯真，安徒生歌剧的脚本绝大部分采用了戈西描述的内容，他认为戈西将《渡鸦》写得非常美。经过安徒生的编写和哈尔特曼的作曲，这部歌剧的片段成了后来能够在音乐会上经常听到的经典曲目，安徒生为此感到非常骄傲。

安徒生将自己的长篇小说《摩尔人的女儿》改编成歌剧脚本，谱曲之后，很快就在皇家剧院上演了。观众对这部戏报以了热烈的掌声，这掌声不仅是给台上演员的，也是给他这个创作者的。安徒生把这个脚本拿给欧伦施莱厄，欧伦施莱厄看后对他非常赞赏，并且祝贺他作品的演出取得成功，同时认为这与他坚持不懈的创作有着密切的联系。安徒生激动地流下了泪水，欧伦施莱厄搂住他，安慰他并说，再不要理会那些伤害他的人说的话。

在海军上将乌尔夫家里，安徒生再次遇到了在西伯尼家里见到的作曲家魏瑟，魏瑟同他一样，都是出生在贫穷的家庭，凭着自己的努力一步步取得现在的成就，他是当时第一个对安徒生表现出同情并且给过安徒生资助的人。魏瑟觉得安徒生和自己很像，他知道作为一个贫穷家庭出身的孩子，想要成名得付出多少努力和代价，更明白成名路上要遭到的无穷无尽的讽刺和谩骂。

魏瑟看了《摩尔人的女儿》之后，表示非常欣赏安徒生的创作，并想邀请他把沃尔特·司各特的作品《凯尼尔沃思》改写成歌剧，魏瑟一直想为这部歌剧作曲。安徒生非常高兴地答应了魏瑟的提议。一来剧作创作完成之后，他能得到一笔支撑日常开销的收入；二来能与非常理解自己的朋友合作是件非常愉悦的事情，此刻他已经是能与魏瑟在精神上沟通的朋友了；再就是这可是沃尔特·司各特的作品，安徒生非常想尝试一下，他把这视作对他的极大认可。

安徒生要把《凯尼尔沃思》改编成歌剧的消

息传了出去，在他连一半都没有完成的时候，指责的声音便蜂拥而至。《摩尔人的女儿》的大获成功引起了一些人的嫉妒，他们又开始拿他贫穷的出身讥讽他，并且指责他把别人的作品胡乱改编，之前被一些人抓住不放的文字拼写错误也被重新翻了出来，安徒生感到自己无法再在平静的心情下完成创作了。

“对不起，我想我无法再继续下去了。我永远都无法成为像沃尔特·司各特那样受人尊敬的诗人，这样下去我只会郁闷地死掉，或者发疯。”他很难过，他只能这样对魏瑟表达自己的心情并希望得到他的谅解。

“别怕，你一定可以的，我过去不也曾经像你一样贫穷么，可你看看现在的我。你要将别人对你说过的那些不好的话当作前进的动力，你写出来的好作品才是你还击他们最有力的武器啊！你要相信自己!”魏瑟很理解他，并耐心地开导了他。

安徒生的确尝到了无数攻击的滋味，他抱怨那些对他的指责，而这些指责又会很快地传到那些别有用心的人们的耳朵里，那些人就又有了可以继续取笑他的素材。

现实的压力使他只能在梦里得到一丝安宁，他一直是被梦神奥勒·卢科伊选中的孩子，梦神好像已经知晓了他心中的难过。梦神让一些开心的画面出现在他的梦里：有他乘坐汽轮曾经航行过的卡特伽特海面，有日德兰半岛上一望无际的荒原和落日，甚至还有他想象中赤着脚在太阳上试着踮脚“漫步”的场景。安徒生怀念旅途中能够自由呼吸的空气和晴朗自在的心情，浑身上下每一个细胞仿佛都感受到了旅行带给他的美妙感受，他想要开始下一次的“漫步”，他非常渴望，超乎一切的渴望！

得到旅行奖学金

安徒生读过摩尔贝克写的《漫游丹麦》《德国、法国和意大利记游》等作品，摩尔贝克是一个历史学家，写过几本书，在当时还是剧院的主任，是安徒生要经常打交道的人，但也是令安徒生十分反感的一个人。安徒生认为他顶多算是一个勤奋的字典编辑，不认为他在用心地写作品。旅行过之后，安徒生在看摩尔贝克写的那些游记时，更是感觉如此。

《漫游丹麦》中的丹麦一点儿不像他所熟悉的丹麦，他认为摩尔贝克写得不朴实，根本无法让读者对里面描写的风土人情产生兴趣和共鸣。刚开始摩尔贝克很欣赏安徒生，可当有了一位新的令这位剧院主任觉得值得大力举荐的作家之后，摩尔贝克便开始冷落他，还对他的作品横加指责。安徒生不愿再读摩尔贝克的作品，尤其是他写的那些所谓的游记。

那时候的丹麦文坛还出现了一位名叫亨利克·赫尔茨的新星，匿名模仿已经去世了的诗人巴格森的书信文体，写的《死者来鸿》引起了巨大轰动，文章大胆地评价当时文坛上的许多诗人，连欧伦施莱厄在他的文章里都受到了批评。此时赫尔茨端起“一杆枪”，对准了一只渴望在草原上无忧无虑吃着草儿的“绵羊”——安徒生，随后他猛烈地扣动了扳机。赫尔茨在文中对安徒生的攻击比其他任何一位诗人都要强烈。

由于文章是匿名发表的，发表之初谁都不知道《死者来鸿》的作者是谁，人们对作者怀着好奇，一时之间这篇文章和它的作者成为人们热议的话题。《死者来鸿》就像是一团巨大的“烈火”燃烧在人群之中，这团火很快燃烧了安徒生的衣服，烧着了他的皮肤，他被升腾起来的烟呛得喘不动气，他不能再容忍这团火肆无忌惮地烧下去——要么快点逃离，要么被烧死。

由于安徒生的一些诗人朋友在《死者来鸿》中也受到了批评，他们对文中的一些攻击安徒生的话大多采取了默不作声的态度，声援他的人寥寥无几。安徒生面对这团极难扑灭的大火，心中备受煎熬，他想要反抗，却又觉得自己说出来的辩解都是卑微的声音，他很清楚辩解只会令人们加重对他的讥讽。他决定用自己的诗去回击这团烈火，这是他唯一能想到的扑灭它的办法。

于是安徒生发表了一首献给丹麦诗人们的诗歌，这首诗写的是过去和当时活跃在丹麦文坛上诗人们的优秀之处。安徒生知道自己必须为他们正名，即便自己的力量很弱小，他也必须有回击的姿态，他要表达自己对那些诗人的崇敬以及捍卫自己想要作为一名诗人的尊严。他必须这么做！

安徒生深受鼓舞，没想到会有人在这样的情况下写诗来支持他，他知道很多人躲避这团“恶毒的烈火”还来不及。他欣慰于当时还有人试着去理解他。这个匿名的诗人告诉他不要害怕别人的侮辱与诋毁，他只有经历磨炼才能最终获得成功。后来他知道这首诗的作者是当时十分受人尊敬的——雍司特鲁普学院的院长魏恩诺先生，他在心里感激这位老人对他的支持。

安徒生在经历了《死者来鸿》给他带来的那场大的风波之后，决定继续“漫步”，这样他可以暂时逃离那团“恶毒的烈火”对他身心的伤害。他太想去呼吸新鲜的空气了，上次的“漫步”给他留下了深刻的印象，他渴望再拥有一次。他已经迫不及待了，他想要进行一次更长时间的旅行，他要让旅行变成他的生活。

随后安徒生申请了国家颁发的旅行奖学金，他拿着当时结交到的很有名气、又真心对他的朋友们的推荐信，去见了腓特烈六世，他大概是那时唯一一个要拿着证明他是诗人的信去申请这一奖学金的人。因为他在当时没那么有名，因为他受过很多非议，因为他没有高贵的出身，他要借助朋友们对他的肯定，在那些申请者当中脱颖而出，赢得他极其期待的旅行奖学金。

“他有写诗的天赋，应该给他时间，他能写出更出色的诗。”欧伦施莱厄这样评价他，这位在当时令他十分敬仰的诗人能如此评价他写诗的才能，让他心里美滋滋的。

“他总能对最普通的人充满同情和怜悯，他知道他们生活的不易，他懂得那种辛苦和心酸，不仅如此，他是那样上进，我们应该看到他的勤奋和努力。”安徒生的好朋友英格曼十分了解他，没有因为他贫穷的出身而疏远他，相反他认为安徒生应该活得纯粹，无论如何都不能放弃对别人的善良与内心的纯真。

“他是一位真正的作家，更是一个出色的诗人，他的作品就是最好的证明，尽管人们对他的评价有分歧。”那位一直鼓励他的物理学家奥斯特这样说，他总是能无条件地支持安徒生。

这些推荐信的确发挥了大作用，安徒生如愿得到了这笔旅行奖学金，有了这些钱他就可以解决旅行的花销问题了。安徒生非常高兴，他想象着自己下一秒就能乘着热气球从空中出发了，他一刻都不想在哥本哈根停留，只是有些舍不得真心待他的朋友们。

安徒生有一本珍贵的纪念册，他会请他的好朋友们在上面写一些鼓励他的话，他十分珍视这本纪念册，在以后的岁月里他经常拿出来翻看。他从那些话语里得到无数温暖，有时候脆弱敏感的内心可以在其中找到令他感到安全可靠的避风港。

让你诗中的幻想力
像一只勤劳的蜜蜂，一样忙碌，
把优美的诗歌带回家园吧！
同时别把我们忘却！

阿达姆·欧伦施莱厄

1833年4月19日于哥本哈根

深邃的大海把高大托起，
再大的船也不能在水面停留。
若想迎着风暴和浓云，
朝着星空振翅飞去，
就必须深深耕耘。

英格曼

理性中的理性是真，
意志中的理性是善，
幻想中的理性是美。

请在交谈时记住这段文字。

诚挚的奥斯特

1833 年 4 月 21 日于哥本哈根

安徒生带着朋友们的鼓励和祝福，在 1833 年 4 月 22 日离开了哥本哈根，开始了他的第二次国外“漫步”，这次旅行的时间很长，直到 1834 年 8 月他才回到丹麦，从这次长途“漫步”开始，旅行真正成了他生活的一部分。

丰富多彩的欧洲之旅

安徒生的第二次国外旅行和第一次一样都是先到了德国，德国是安徒生一生之中去过次数最多的国家。在汉堡，他得到了来到异乡以后，写在他纪念册上的第一首问候诗，这首诗来自侨居德国的丹麦诗人拉尔斯·克鲁瑟。他对安徒生很友好，这一举动给安徒生留下了深刻的印象，这是安徒生在第二次国外“漫步”中得到的第一份温暖：

保持本色——忠实于自己的天性和纯真，
保持魂灵纯洁，也让自己的心充满欢乐，

在不讲丹麦语的国度，依然做一个丹麦人，

待重见丹麦的时候，做一个欧洲人。

拉·克鲁瑟①

安徒生感到非常温暖，认为克鲁瑟和他在哥本哈根的朋友巴格森、巴格尔、奥斯特等人一样，都希望他保持内心的纯真。对安徒生来说，没有什么比纯真的天性更重要。德国让安徒生感到很亲切，他和德国的朋友交往时感到心情舒畅。远离了那团在哥本哈根曾经在他身上熊熊燃烧的“烈火”，他感到自己又有了写作的灵感。这些灵感就像街上再平常不过的风一样扑面而来，他只需要安静地站在一个不起眼的街角就能感受到，街边随意生长的小花都让他觉得那么鲜艳。他意识到在过去的一段时间里这些花儿在他的眼里已经灰暗了许久，那团火也烧焦了它们。但现在，它们又重生了。

安徒生走在卡塞尔的街上，他的目光被一个名字牢牢吸引住，虽然名字被涂料盖住，但还是

①（丹麦）安徒生著，林桦译：《安徒生自传》，人民文学出版社 2011 年版，第 87 页。

能依稀辨认，这几个字是——拿破仑。拿破仑不仅是他父亲心中的英雄，也是他心中的英雄。和看到的那些古老的城堡以及璀璨夺目的皇宫相比，眼前的这个名字更令他激动，他知道自己离心中的英雄更近了。

安徒生随后乘船从德国途径莱茵河到巴黎，他终于有机会亲眼见到多情柔美的莱茵河，他仿佛能感受到河流缓缓地浸润心田，他的心灵被这柔情的河水滋润着，那些诗性的种子又开始发芽了。他站在甲板上想着那些关于莱茵河的传说和诗篇，天空像一面蓝色的镜子，他抬头仿佛就能看到镜中的自己。阳光温柔地洒在他脸上，一阵微风拂过，像是在帮他整理衣角，一切来自大自然的馈赠都仿佛想让他在天空这面镜子里显得更精神一些。安徒生一直对自己的相貌感到自卑，还常常受到一些关于长相的攻击，而此刻的他站得笔挺，在心里觉得自己比任何时候都要好看。

最让安徒生入了迷的，是关于莱茵河女妖罗蕾莱的传说，安徒生想象着那是一位多么美丽的女孩儿。安徒生仿佛能够看到罗蕾莱变成女妖之后，用美妙动听的歌声引诱那些从莱茵河上经过的船夫撞上礁石。但他知道罗蕾莱内心的痛楚与煎熬，关于罗蕾莱的传说有几种，其中传说是她在生前因为心爱之人的背叛而感到愤恨，投入水中化作了女妖。也许她一次次的歌唱是在等待曾经心爱之人的到来，她想与心爱的人一同沉入水底。这个传说既残忍又浪漫，像船行进时激起的巨大水花一样撞击着安徒生的心灵。

安徒生想起了他在奥尔拉·列赫曼家里，第一次读到海涅诗作的心情，他觉得自己与海涅的心灵是可以相通的。当他在莱茵河上再一次想起海涅的诗，这位诗人身上散发着的耀眼光芒，像磁铁一样牢牢地吸引着他，安徒生心中有了想要见到他的想法。安徒生乘着船在莱茵河上走了三天三夜，直到被一阵剧烈急促的雷声惊醒——巴黎到了。在他心里，巴黎是一位身姿曼妙的婀娜女郎，他终于见到了她，现在他要从船上下来好好地欣赏一番。

巴黎街道上的建筑透着璀璨夺目的光辉，在阳光的映衬下是金灿灿的，城中的王宫带着历史的痕迹，像一幅幅画卷慢慢地在他眼前展开，他想钻进王宫的一面墙中，跟随历史留下的气味追寻过去的痕迹，这座城市引起了他的好奇心。安徒生找到了拿破仑的卧室，想象着拿破仑坐在房间里手拿着一本书在皱着眉头思考着什么，或者手里握着一柄长剑站在窗前望着远方。他现在在屋子里走过的每一个位置，都曾经是他和父亲心中的英雄脚步踏过的地方。他低下头来用手捻了一点地上的灰尘，把灰尘放在鼻尖轻轻地嗅了下，他觉得这里面一定有拿破仑的痕迹。

安徒生还去了巴黎圣母院，此时雨果的长篇小说《巴黎圣母院》已经在1831年发表了，安徒生为小说中的吉卜赛少女爱斯梅拉达而着迷，他想象着热情善良的爱斯梅拉达，是被他从绞刑架上救下来的，他用自己的双手抱着她的身躯，像抱着一只在林间迷了路的孱弱的小鹿，他那么珍视她。安徒生佩服丑陋的敲钟人卡西莫多的勇气，他被卡西莫多对爱斯梅拉达深沉而伟大的爱所震撼，当他读到卡西莫多找到了爱斯梅拉达已经死去的冰凉的身体，躺下来与她一起死去的时候，泪水止不住地涌了出来。小说中曲折的情节深深地吸引着他，他感到自己读到了一部伟大的小说，在心中对雨果充满了敬佩之情。

安徒生随后去拜访了雨果，他觉得这是再恰当不过的事情了，在这之前，有太多像他这样在读了《巴黎圣母院》之后，去拜访雨果的人。雨果没有对他表现出太多的热情，只是在他递过的一张纸上签了名。安徒生知道雨果没有读过他的作品，不知道他是谁是很正常的事情。

在巴黎，除了去看了那些以前只能是作为名字出现在他眼前的地方，他还去了"欧洲文学社"，在那里见到了一个他十分想见的诗人。

"我听说您是丹麦人，我是德国人。"一个个头不高、看上去很和善的人与他握手。

"您是哪位，真高兴认识您。"安徒生还有些好奇，这里没有一张他熟悉的面孔。

"我是海因里希·海涅。"

海涅，就是那个在莱茵河上他还想着的名字，此刻这个人就站在他面前，与他亲切地握手交谈，他终于见到了他认为可以与之心灵相通的诗人。安徒生从来没有想过这一刻就这样突然到来了，他毫不掩饰自己对海涅诗作的喜爱以及想见他的热切心情。

海涅可能对安徒生所说的对他由衷的喜爱很

意外，他有些不好意思了，笑着说："要是您对我那么感兴趣，不是应该早些来找我么。"

"我只是个没多少人知道的来自丹麦的小人物，如果贸然前去见您，您肯定会嘲笑我的！如果您因此而嘲笑了我，我会万分难过，我宁愿自己从来没有过仰慕您的想法！"安徒生诚恳地说。

海涅被安徒生单纯直白的性情打动了，他对安徒生十分友好。在这次会面之后，海涅还专门去安徒生居住的旅馆看望他，并且在安徒生离开巴黎的时候写下了鼓励他的话：

> 我非常愿意在这张纸上为您写几行诗，但是今天我很难写出什么来。
>
> 祝您幸福快乐。在意大利旅行顺利，在德国学些德文，这样回到丹麦就可以用德文记录意大利的生活了。我会非常高兴！
>
> 海涅
>
> 巴黎，1833 年 8 月 10 日

安徒生的心灵在巴黎期间得到了一次舒展和成长，他心中诗性的种子不仅发了芽儿，还在慢慢长大，一首古老的丹麦民谣一直萦绕在他的脑

海里——《奥奈特和人鱼》。民谣中的奥奈特漂亮柔弱，有一次在海边散步的时候遇到从海底升上来的雄性人鱼，她就跟着人鱼到海底生活了 7 年，并且生了 7 个孩子。有一天她听到海面上传来的教堂钟声，就央求人鱼带她到陆地上看看，等她上岸之后就再没有回到过海里。

安徒生似乎对海底世界充满了无限的向往，在他之前的作品《漫步》最后出现了的一首名叫《潜水钟——一则海底世界的童话》的诗里就出现了奥奈特的身影。

安徒生笔下的奥奈特与丹麦童谣中的奥奈特有很大不同，在安徒生的《奥奈特与人鱼》里，奥奈特成了一位有男子气概的女子，而且他把她的追求者写成了带着女人味儿的懦弱男子。传说中的奥奈特对她人间的家庭非常愧疚，但在安徒生的笔下，她渴望返回深海的，只不过在返回的途中摔倒在一片火海中。安徒生用他非凡的想象力将陆地上的奥奈特走向大海的这段行程描述成了火海。

1833 年 9 月，安徒生在汝拉山上表达了他心中一种更渴求探索的愿望，陆地上和海洋里的世界都深深地令他着迷，他对于它们的探索永不满足，他一直对新的存在充满着奇特的向往。安徒生认为《奥奈特与人鱼》在他的创作中是一个非常重要的节点，这部作品结束了他创作的抒情阶段。他显然比过去有了更大的进步，有了更多自己的思想，他让自己的想象力得到了更充分的发挥，有了更加坚定的力量。

只是文章寄回哥本哈根发表之后，并没有取得他渴望的成功，远远没有《漫步》那样受欢迎，批评之声持续不断地传来，但旅行带给安徒生内心的开阔与喜悦，让他根本无暇顾及这些，他有更多的新世界要去探索，他要去意大利了。

安徒生没想到在他到达哥本哈根的 14 年后，能来到这个令他一直向往的国家，他兴奋极了，觉得自己又像个孩子了。同时这也更加坚定了他继续创作、成名的决心，他知道是他来到哥本哈根之后不懈的努力和幸运才让他有了在国外旅行的机会。

刚刚进入意大利，他感到自己愈加渺小了，这里的天空特别高，比他之前去过的任何一个地方都高，他仿佛在天空中看到一座用蓝色宝石镶嵌成的城堡，那蓝色是他从未见过的透着朝气的蔚蓝，他知道那座城堡里一定住着许多长着蓝色翅膀的可爱天使。沿途有许多葡萄藤挂满了一串串葡萄，有的是绿色的，有的是紫色的，都像宝石一样闪闪发着光。安徒生认为，此刻自己变成那葡萄藤上的一粒发着光的葡萄都是幸福的。意大利的一切都让他感到无比幸福。

安徒生来到意大利之后，去过的第一个地方是米兰天主大教堂，巍峨的大教堂矗立在那里，让他不禁在心中生出肃穆感。他等待着教堂的钟声敲响，他要虔诚地祈祷，感谢上帝将他带到这个让他感到幸福的国度。他从教堂望向阿尔卑斯山，山峦像一条巨龙在他心中盘旋起伏，他被眼前大自然的一切震撼和感染着，他心里十分清楚，他要把眼前看到的一切都记录下来，他从未见过如此令他着迷的景色。

在去罗马的路上，安徒生一路欣赏着他从未见过的风土人情。他经过卡斯蒂廖内，看到一群活泼可爱的孩子正在一片橄榄树林前嬉戏玩闹，那些橄榄树有着漆黑坚硬、油亮亮的树皮。有一个老妇人坐在一把用格子布做的靠背的椅子上，安静地晒着太阳，不远处是她的房子，房子前面有一个收拾得十分精致整洁的小花园，花园里盛开的花儿都探出围栏向他打招呼。当安徒生乘车经过特拉西梅尼湖畔时，他第一次看到了野生的月桂树，眼中时刻被不同的色彩吸引着。不过也有令安徒生感到不安的地方出现，他沿途落脚的有些旅店条件很差，他甚至感到他居住的房间是被巫婆施了咒语的。旅馆的不远处有一处瀑布，那瀑布从很高的地方倾泻到他脚下的深渊，那股势不可挡的力量，在他心中形成了一个巨大的旋涡，旋涡久久都不能平静下来。

安徒生乘坐的车子继续前行着，他脑海中那些创作的精灵跟着他眼前所看到的一切翩翩起舞。不知不觉中，他来到了罗马。

“罗马，真的是罗马!”安徒生大声地喊了出来。

这座有着悠久历史的城市，让安徒生有了家的感觉，这里有他喜欢的艺术的味道，那些以前他不曾关注的绘画、雕塑艺术都开始进入他的视野。这里的人让他感到舒服极了，他去拜访了一位名叫曹瓦尔森的画家，曹瓦尔森正在专心致志地画画，安徒生看到他画在纸上的风景就是他沿途见到的那些，感到亲切极了。这位画家热情地招待了安徒生，为他讲述自己在画里展示的一切，就像对待一位老朋友。这次热情的会面对安徒生来说太受用了，在异乡被一个陌生人这样招待让他很感动。

安徒生还会见了另一位画家库赫勒，他在之后第二次、第三次来罗马的时候都会与他见面，在安徒生眼里，库赫勒是一位充满了活力的年轻人，他带着安徒生到意大利的大山里去探险。安徒生与真心待他的朋友在一起，置身在神秘的大自然当中，享受着意大利带给他的一切，安徒生认为自己是一个幸福的人。

他们走进阿尔班山脉，安徒生第一次看到全是农民和僧众的庙会，他们欢快地骑在驴的背上穿梭在人群中。安徒生看到了只用鹅卵石铺成的街道，听到了远处泉水涌出的声音，声音那样清脆，仿佛许多鸟儿聚集在一起歌唱。他们还看了修道院，看到了巨大的悬铃木和仙人掌。令他印象最深的是在山中穿梭的时候，遇到了一位急匆匆赶路的带着金色纱带的巫医，他的身旁还跟着穿着奇怪服饰的仆人，穿着那服饰像是要去参加假面舞会。

等从山里出来的时候，街上的人们开始多起来了，男人们在玩一种猜指头数目的游戏，女人们穿着靓丽的衣服打着手鼓在翩翩起舞。她们的衣服鲜艳极了，有炽烈的大红色，有亮眼的鹅黄色，还有娇嫩的翠绿色，安徒生觉得她们像是一群蝴蝶仙子变的。这次在山中的“漫步”让他感受到了意大利普通民众充满朝气的生活。安徒生回到罗马居住的旅店里，他在心里开始酝酿着一部长长的小说，他开始动笔试着写了几章。

狂欢节之后，安徒生从罗马去那不勒斯时，已经是 1834 年的初春了，天气渐渐暖和起来，春风和煦，吹在脸上痒痒的，安徒生穿梭在一些高大的柠檬树和酸橙树中间，他想要在林间跳舞，在大自然宽广的怀抱里开心地旋转和舞动，像小时候父亲带他去树林玩耍一样。

等安徒生到达维苏威火山的时候，他捡起已经变成了黑灰的岩浆，和上次在拿破仑居住过的卧室里一样，他还把那些黑灰放到鼻尖底下闻了闻。他小时候就是这样，认为身边能见到的东西都是有生命的，肯定保留着特殊的味道，他将这些东西上的味道记住了，也就将它们的样子留在心里了。

安徒生想象着维苏威火山爆发的样子，那一定是一位穿着红衣的妙龄少女，连她那红色衣角上的丝线都吸引着从她身边经过的每一个人，他要为她写诗。

从维苏威火山上下来，安徒生又去看了庞贝、帕埃斯图姆附近的庙宇。他看到一个盲眼姑娘，虽然衣衫褴褛，但有着乌黑浓密的长发，长发上插着几朵紫罗兰，浅紫色的花儿配上黑色的长发美极了。安徒生觉得她是一位从庙宇里走出来的女神，那个女孩儿静静地坐在庙宇前的台阶上，仰着头朝向远方，虽然她看不见周围的世界，却仿佛拥有了一切，她脸上淡然的表情留在了安徒生心里，他想现在写的小说里一定要有她的故事。

安徒生在意大利待了很长时间，他感觉自己仿佛在做一个美丽的梦，梦里的一切让他感到满足，他不愿意从这个梦里醒来。可他终究是要离开的，但他知道自己一定会回来，因为这里让他有了家的感觉。安徒生深情地写下了一首诗，献给即将离开的意大利。这首诗里充满了意大利的芳香与美乐，有农夫家的藜墙，月桂花正在盛开，仙人掌又高又大。在意大利生活的期间让安徒生保持着一颗童心，拥抱大自然，懂得了色彩之国、形式美之乡的艺术。

之后，安徒生又去了奥地利，在维也纳待了一个月。最后他从布拉格取道，在 1834 年 8 月回到了让他想念又令他感到紧张的地方——哥本哈根。这次长时间的“漫步”就这样结束了。但他创作的“漫步”并没有停下，他要把在过去一年多的旅行中看到的和想到的都写下来，他想让心中幸福的一切成为永远。

安徒生回到丹麦之后，马上去了好朋友英格曼的家里，他在英格曼家的阁楼上，完成了他在罗马就开始写的长篇小说的前半部，后半部在他回到哥本哈根后陆续完成。这部小说叫作《即兴诗人》，名字的灵感来自他在罗马旅行的时候收到的海贝格的一封信，信上说他是个“即兴诗人”。这部小说不是别人的故事，就是他这个“即兴诗人”的故事。安徒生把之前在庙宇台阶上看到的盲眼姑娘写了进去，并给她起了一个好听的名字——拉娜。故事的情节以及场景的描摹大都取材自他在旅行时见到的一切，尤其是在意大利见到的大自然和人们日常生活的一切。

《即兴诗人》在 1835 年发表，它成了安徒生写作生涯的一个重要转折点，人们开始意识到安徒生不只会写诗，还有写故事的高超才能，小说中的情节那么富有想象力，人物形象那么鲜活。《即兴诗人》问世之后一度脱销并且很快再版，这部作品为丹麦文学开创了以现代题材写作长篇小说的门类。

人们为安徒生能创作出如此精彩的作品感到高兴，以前的批评声音不见了，也许很多人并不甘心，想要继续再看看这个在他们心中鄙视的出身贫穷的孩子，还能写出多少好东西，此刻他们暂时忍住了，他们选择了沉默而不是对他多加指责，因为《即兴诗人》确实写得很好，没什么好指责的。安徒生心里仿佛是天降甘霖一般，有种说不出的舒畅与惬意。想想之前《死者来鸿》时，他经历过的那团恶毒的烈火，他觉得自己的肌肤终于在那次大火之后一点点愈合和重生了。那个让安徒生时时恐惧的文法学校校长梅斯林也称赞了他，承认自己之前在斯劳厄尔瑟和赫尔辛厄的时候对他的看法都是不恰当的。

当时《礼拜日报》的编辑、诗人卡尔·巴格尔给《即兴诗人》写了书评：他认为安徒生的创作才能并未干涸，并且登上了一个奇特的、前所未有的高峰。

安徒生看到这样的书评激动地留下了泪水，人们之前对他的那些批评是真实存在的，并且很多带着对他的人身攻击，但是他都挺了过来。现在他得到的赞誉和认可也是真实的，他没有在做梦。他知道，他要感谢他曾经走过的国家尤其是意大利，还有在那些国家里遇到的真心对他的朋友。

安徒生真切地意识到旅行成了他的生活，他的生活不能缺少旅行。他还要继续去“漫步”，这样他就能在旅行生活中拥有源源不断的灵感，他希望自己的作品越写越好，能得到更多的尊重，获得更大的成功！

旅行与绘画

当时的人们一定还不知道，安徒生在他第二

次海外“漫步”的过程中创作了约140幅速写画，而这些速写在他构思自己备受关注的长篇小说《即兴诗人》时发挥了巨大的作用。是那些速写让他在回到丹麦之后，能够更清楚地细细回想起他在国外见到的、留在了他心底的景致，对风景细致入微、真实鲜活的描摹成了《即兴诗人》的一大亮点。

在1830—1833年间，安徒生为了写轻歌舞剧经常和音乐家约翰·勒克在一起，他常去约翰·勒克的家里做客。他很愿意和约翰·勒克不到8岁的小儿子奥托·勒克一起玩，他喜欢在小奥托的本子上画速写画。虽然初衷只是为了哄小奥托开心，但他画得越来越多，开始借助这些融合在一起的线条表达自己内心的想法。那时候他画的多是铅笔画，偶尔才用到墨汁，那些画是安徒生早期的绘画创作。

安徒生在他1831年第一次海外“漫步”时，有了更清晰的画速写的想法。无论是乘船还是坐车，他总要在口袋里装着笔和纸，时不时把看到的记录下来，有些场景来不及当场写成文字，他就想到了画画这个办法。也是从那时候开始，他的日记和给朋友们的信件里经常有他的速写画。

让安徒生真正对绘画产生浓厚兴趣的地方是意大利，在那里旅行期间，他能够经常浸润在艺术的殿堂之中。旅行到意大利的佛罗伦萨时，他参观了当地著名的菲泽尔尼博物馆。之前他也在巴黎看到过一些雕塑和绘画作品，但都没引起他太大的兴趣。当站在博物馆里那尊著名的公元前一世纪爱神维纳斯的雕像复制品面前时，他被深深地震撼了。这尊雕像一度因属于意大利银行家美第奇而被人们称为“美第奇维纳斯”，它是在世间流传的众多维纳斯雕像里最出名的一尊。

此刻立在安徒生面前的维纳斯，仿佛正要缓缓地靠近他，她身上散发着女性特有的迷人魅力，安徒生觉得自己的眼睛一刻也离不开她，这个维纳斯有着浑圆坚实的臂膀，安徒生多么想和她拥抱在一起。那里有属于母亲给予的温暖，维纳斯的脚边还有几只来自深海的小鱼和一个正抓着鱼儿玩耍的小孩儿。安徒生多渴望自己就是那个小孩儿，每天都可以待在维纳斯的身边，他被眼前看到的维纳斯征服了，随即写下一首献给她的诗：

从大海泡沫中来，

她洁白而轻盈。

只有上帝才能想象，

她是那么的美，

她的青春永在。

与大地共存，

与世界之岛共长。

但爱情将亘古不灭，

女神永在人间。

安徒生想把他所有能写出来的美好的词语都献给她，在佛罗伦萨，他几乎天天都要去参观艺术馆，而他看最多的就是这尊“美第奇维纳斯”。安徒生把这尊令他着迷的维纳斯雕像，写进了他的《即兴诗人》之中。

艺术馆里那些绘画作品引起了安徒生极大的兴趣，他觉得自己除了有文学世界，还有另外的热爱——不可思议的艺术世界。他看到了拉菲尔的真迹——“坐凳上的圣母”和“公爵的圣母”，还看到画家博提西里斯画的维纳斯的油画等，他的思绪跟随着这些画到了另一个美妙的领域。安徒生在艺术世界里，得到的都是美的浇灌，他迫不及待地拿起笔，要把看到的一切画下来。

安徒生画过阿尔卑斯山上的辛普朗山道、罗马街的男孩儿、骑驴卖葡萄的小贩。在罗马居住时，他还将窗外奎里纳尔山上的景色画了下来。他还画过拿破仑母亲莱蒂齐亚的居所等，他把值得留在记忆里的一切都用笔画了下来。

过了一个月，安徒生又给他极为珍视的约纳斯·科林的儿子爱德华·科林写信说：

> “在罗马，我成了一个地道的画家，大家都鼓励我。不管怎么说，我的许多速写（总共超过一百幅）对我来说是一份宝藏，回到家里，它们会带给我很多的快乐。我要是学过画画该有多好！”

此后，渴望表达自己内心世界的安徒生在受到夸赞和鼓励之后，常常用绘画的方式把自己看到的一切记录下来。荷兰著名画家文森特·凡·高，在1882年写给骑士安东·凡拉帕德的信中说：“你不认为安徒生的童话很美吗？我相信他肯定也画插图！”文森特·凡·高并没有见过安徒生，但凭着他对艺术敏锐的洞察力，看出来安徒生平时一定很爱画画。

在《没有画的画册》的前言中，安徒生写道：

> “真奇怪，当我的感觉到了最强烈、最深刻的时候，我的手好像被捆起来了，舌头打了结，因此无法准确表达我心中涌上来的思想。然而我还是一个画家呢；眼睛看到的世界这样告诉自己，看见过我的速写和画的所有朋友也这样说。”

安徒生的绘画创作随着他在旅行中不同的见闻、生活场景的改变发生着一些变化。1840 年以后，他在旅行时用笔记录下来的画作，明显地减少了细节的描摹，画中事物的轮廓得到了显著加强，以往大片铅笔涂抹的阴影几乎没有了。仿佛他对自己眼前的一切有了更强的掌控力。从他画的在雅典看到的骆驼和在土耳其伊斯坦布尔看到的城堡，能明显地感觉到这些。

在安徒生的第二次国外“漫步”之后，他又去了很多地方旅行，安徒生人生的许多时间都是在旅行中度过的，所以他说旅行就是生活。安徒生一生出国旅行了 30 多次，总共去过 24 个国家，几乎游遍了欧洲。德国和瑞士是他去的最多的国家。直到 1873 年，68 岁的他还兴致盎然地去了德国和瑞士旅行，是他一生当中最后一次旅行。旅行中的安徒生一直徜徉在艺术世界里，他将自己对画画的热爱保持到了暮年。

周游世界的“漫步”，让安徒生领略到不同的自然风光和文化艺术的魅力，那些绮丽风光的魅力，让他折服，更让他感动。这些都被他一一写进了日记和他编织的美丽的童话故事里。安徒生曾说生活和世界就是他的学校，旅行的过程就是他在“学校”里学习的过程。各国的湖光山色、名胜古迹，使安徒生的胸怀更为宽广；旅途的风餐露宿、艰难曲折使他的意志历经磨炼；近距离观察生活，贴近民生，使他收集和积累了大量写作素材。安徒生常在漂泊中写作，美丽的大自然和淳朴的民风使他对生活有了新的感悟和体验，让他对创作有了更多的冲动与热情。

第五章
充满孤独的一生

与科林一家的复杂情感

安徒生一直渴望在科林家里得到真正像家人一样的对待，虽然约纳斯·科林很关心他的学业和生活，安徒生也将他视为自己的父亲一般尊重，但“寄人篱下”的情绪时常涌上他的心头。约纳斯·科林很满意自己对安徒生做的一切，他觉得自己在做慈善事业。所以约纳斯·科林对安徒生十分严厉，希望他能成长为非常优秀的人物，这样更能显出这项慈善事业的伟大。安徒生成名以后，约纳斯·科林经常带着安徒生去剧院看戏，他不停地向其他人挥手致意，仿佛很愿意让别人知道这就是他付出了心血培养出来的孩子。安徒生恭恭敬敬地坐在约纳斯·科林的旁边，约纳斯·科林偶尔看一眼身旁的安徒生，显出骄傲得意的神情，而这些看在安徒生的眼里却很不是滋味儿。安徒生时常从约纳斯·科林那里感到父亲的威严，这种威严让他有些害怕。他渴望对科林家的人敞开心扉，却常常被冷冰冰地拒绝。安徒生多么依赖别人对他的善意，多么愿意对别人付出真心，骨子里的敏感自卑让他在被拒绝后总是非常受伤。

安徒生曾经因为自己的创作，遭到来自社会上很多人的嘲讽与攻击，他的内心在很长的时间里都处于压抑的状态，1831 年他写下“面对那些严厉的苛责和沉重打击，我忍不住发脾气，我也会流泪。别人狠狠地挑衅，我决不能次次沉默！这些只是我生活的一部分，我不会妥协，我要成为一个受人称道、得到荣誉的诗人！”在安徒生的心灵遭到这些来自社会上不同声音的“重创”的时候，他最渴望得到的是来自于家人、来自那些他最爱的人的安慰，可他得到的是令他撕心裂肺的不理解和坚定的拒绝。

1831 年，安徒生给约纳斯·科林的儿子爱德华·科林写了一封信，他再三犹豫，最终还是把这封信寄了出去。安徒生心里一直忐忑不已，不知道爱德华看后会是什么反应，是惊讶还是懊恼，他无法预测。写信的过程中因为心中焦虑，还折断了一只羽毛笔，揉皱了好多张纸才把信写出来，这是他写过的最不流畅的一封信。本来他还准备了一朵小花想放进信中，但装进去又拿出来，如此反复了好几次最终还是把小花扔在了桌角。

爱德华回信了，言辞很激烈。爱德华说安徒生的这个想法令他感到不可思议，他现在内心很不舒服，只能把安徒生当成一个有价值的朋友，不知道该如何将他们的关系更进一步。这样的拒绝，比那些嘲笑讥讽他的话还要令他难受百倍千倍。他最害怕的就是这样的拒绝，仿佛有无数只蚂蚁在啮噬他的心灵，他是那么在意爱德华对他的看法。

在爱德华·科林回信拒绝他之后，他与科林一家的交往更加小心翼翼。虽然他爱上了爱德华的妹妹鲁伊丝·科林，但他一直不敢将自己对她的爱慕表露出来，他害怕与爱德华·科林的关系更加糟糕。安徒生还想继续留在哥本哈根的这个

"家"里，他对这个"家"有无限的依赖，他不能没有这个"家"。安徒生后来对爱德华·科林表达了想要与他成为更亲密的朋友的想法，可是爱德华觉得这些想法实在有些荒谬，两人的关系根本没有进一步发展的必要。

1846 年，安徒生在给爱德华·科林的信中继续表达着自己的苦闷与忧伤，他说："当与家里我最亲近的人们在一起，我也只不过是——安徒生，一个有一点儿天分的、无害的人，一个自视甚高的人而已，家里并没有人为我感到骄傲，我好像一块没人要的、墙脚的石头而已。"

实际上科林一家也有对安徒生很友善的人，这个人就是约纳斯·科林的长女英格堡。安徒生回到哥本哈根这个"家"的时候，英格堡总是来和他聊天，听他念自己创作的那些诗。英格堡听得很认真，而且会真诚地提出自己的建议，还会请安徒生再朗诵一遍，这让安徒生觉得自己获得了极大的认可和尊重。1826 年，英格堡嫁给了阿道尔夫·德鲁森。安徒生后来还成了阿道尔夫·德鲁森外孙女们的教父。

1861 年，安徒生在看望挚友英格曼的时候，得到了约纳斯·科林去世的消息，他立刻返回了哥本哈根。

站在科林先生的墓前，安徒生回想起自己十七岁时是多么紧张地走进了他的办公室，约纳斯·科林坐在一张圆椅上，没有露出太多表情，安徒生当时一点儿也没有想到，这个人会对他今后的生活产生重要的影响，仿佛那次见面还是昨天发生的事情，此刻对他来说威严的父亲般的科林先生已经离开了他……安徒生后来称约纳斯·科林为亲爱的老科林。虽然约纳斯·科林有时对安徒生冷漠而严格，但确给了他许多事业上的支持和生活上的关心。极为重要的是，约纳斯·科林给了安徒生一个体面而完整的“家”，安徒生一直在心底里默默地怀念他。

世界上最美丽的玫瑰花

25 岁的安徒生和同龄的年轻人一样对爱情充满了期待，1830 年的夏天安徒生在旅行时，途经佛堡去看望他的大学同学克里斯钦·沃伊格特，他住在了克里斯钦·沃伊格特父亲的家里。第二天清晨，他下楼来和克里斯钦·沃伊格特一家打招呼的时候，见到了克里斯钦·沃伊格特的妹妹里玻格·沃伊格特小姐。安徒生愣怔了几秒钟，下意识地搓了几下衣角，他突然心跳加快不知道该开口说什么。他意识到自己的停顿似乎有些失礼，但还是难掩心中从未有过的喜悦，微笑着和他们问了早安。

他在诗里这样描述与里玻格的相遇：

> 这真是难得的幸福。
> 我的家园，我的世界就在这双眼睛里。
> 它们散发着发和热的神采，
> 充满了智慧和迷人的天真。
> 我永远无法忘记它们。

遇到里玻格之后，那双棕色的眼睛里散发出来的迷人光芒，一直萦绕在安徒生的脑海里，他在房间里坐立不安，这种突如其来的感觉对他来说太复杂，一时之间有些手足无措。不过毫无疑问，这复杂的感觉里是兴奋与喜悦占去了大半，那是他从未体味过的滋味儿。

安徒生深深地呼了口气，咀嚼了几下，发现嘴巴里都是甜蜜的。他端起胳膊，轻轻闻了下自己的袖口，他的衣服竟有了淡淡的香气。那复杂的感觉里还充斥着他的怀疑，他不知道这是不是自己在做一场美梦，他想再下去看看此时楼下的里玻格，是不是清晨第一次相见的里玻格。他又有些紧张，不知道该张口说些什么，心中似乎有很多想要对里玻格说的话，但他害怕自己说出来之后让里玻格感到困扰，毕竟他们刚见面。

安徒生住了几日之后，克里斯钦·沃伊格特全家和几位诗人、还有一些商人们要一起乘马车出游，他们邀请安徒生一同前去。安徒生心中一下冒出来很多可爱的小精灵，他们手拉着手围在一起跳舞。他们都知道安徒生在想什么，还用小小的手指悄悄弹着安徒生心房上的墙壁，安徒生的心就跟着一动一动的，他知道这是他心里的那些小精灵在同他开玩笑，它们肯定也喜欢里玻格。虽然他的内心很不平静，但他努力抑制着自己可能脱口而出的那些爱慕的话。他站在镜子面前，反复确定着自己是不是比那天见到里玻格的清晨更精神些，他拍了拍自己的胸脯，这个动作可以给他带来些自信，让他感到自己没那么差。

安徒生和里玻格坐在同一辆马车里，他羞涩

的不敢主动去打招呼，但是他的眼睛时不时地就对上了那双棕色的眼睛，他觉得里玻格的眼睛清澈极了，她是他见过的最纯净的女孩儿。但是他小心翼翼，生怕打破了空气中那种让他感到微微发热的气氛。他时不时地低下头来琢磨着心里的那些小心思。

他们一起到了一个美丽的庄园，那是里玻格的父亲的私人庄园，里玻格的父亲要在庄园里宴请他的朋友们。傍晚来临，盛大的舞会开始了，大家一起走到空地上，周围有许多艳丽的玫瑰花。安徒生看到一位诗人顺手折了一支玫瑰花拿在胸前，弯腰献给他对面的舞伴，舞伴开心地接过玫瑰花并且致谢，用甜蜜的微笑报以这浪漫又合乎礼数的举动，然后他们互相靠近，挽着臂膀跟随音乐轻松地舞动起来。安徒生觉得这一切都顺理成章，可他不敢去邀请心中最纯净的姑娘里玻格跳舞，他也想折了玫瑰花送过去，但他怎么都没迈出一步，他多想把世界上最美丽的玫瑰花，献给里玻格啊！

安徒生 47 岁的时候写过一篇名为《世界上最美丽的一朵玫瑰花》的童话，故事里的女王有一座开着世界各地出产的美丽花儿的花园，而她最喜欢这花园里的玫瑰花。她后来生病了躺在床上，医生说只有世界上最美丽的玫瑰花，一朵表现出最纯洁最晶莹的爱的玫瑰花才能挽救她。而没有人能够送来这样的一朵最美丽的玫瑰花。最后女王的小儿子捧着一本书来到床前，给她讲述着书中的故事，女王听着听着，她突然坐起身来，拥抱了自己的小儿子，她说在故事的书页中看到一朵世界上最美丽最纯净的玫瑰花跳出来，并且来到她眼前，仿佛看到了鲜活的生命。

安徒生那时候希望能像女王的小儿子一样，给自己心爱的人念书上的故事，他希望将自己的诗念给里玻格听，他的诗里有世界上最美丽最纯净的玫瑰花，他要毫无保留地献给她，但 25 岁的他还没有这样的勇气。甚至里玻格在他没注意的时候走上前来，问他为什么不去跳舞时，安徒生只是说他不会跳舞，欣赏下舞会的盛况就够了。他怎么可能不想和里玻格手挽着手伴着美妙的音乐，踏着轻盈的舞姿一起跳上一支舞呢？但是他内心惴惴不安，生怕自己稍有些胆大的行为，就会显得不合时宜。

里玻格没有再多说什么，她也并没有想要和安徒生共舞一曲的意思，她只是把安徒生当作哥哥的大学同学看待，和他不过是普通朋友关系。她的心里已经有了心爱之人，只是安徒生还不知道。

夜晚他们住在了庄园里，安徒生久久不能入睡，他为自己没有主动邀请里玻格跳舞而感到有些生自己的气，他在床上就要透不过气来了，他起身走出房间，来到院子里，坐在藤椅上，安静地坐下来，那晚的月亮又圆又亮。安徒生喜欢在有月亮的夜晚，让自己的想象力变成一匹长着翅膀的飞马，在浩瀚深邃的夜空中，无拘无束地飞翔。沉浸在自己想象中，安徒生才能真正地放松下来。

他闭着眼睛，想象里玻格穿着一件深蓝色的长裙，裙子的下摆缀满星星形状的亮片。深蓝色是最能让安徒生内心平静下来的属于大海的颜色。里玻格缓缓地走向他，他心想里玻格一定来自大海，是大海里最纯净的灵魂。他右手拿着世界上最美丽的玫瑰花并把它藏在身后，他要等里玻格靠他近一些的时候再拿出来。

里玻格离他很近很近了，他心里的小精灵们

已经要沸腾了，安徒生深深地低下了头，把右手里藏着的玫瑰花拿出来献给了里玻格。

“好美的玫瑰花”，里玻格露出淡淡的微笑。那微笑是大海上最悄无声息的一朵浪花。这朵小小的浪花是安徒生眼中最灵动的一朵。

“您比它还美”，这是安徒生心里最真挚的话，在月光的照耀下，里玻格的脸庞散发着柔和的光芒。原来安徒生手里拿着的并不是最美丽的那朵玫瑰花，而眼前这位他喜欢的温婉动人的女孩儿才是世界上最美丽的玫瑰花。

他们手拉着手在月光下漫步，安徒生的胆子大了起来，他为里玻格朗诵他写过的诗，他还给里玻格讲他写在《漫步》里面的奇奇怪怪的故事，里玻格听得入迷，不时发出惊讶和赞叹声。

“您真是一位很有想象力的天真的诗人！”里玻格侧着脸看着安徒生的眼睛说，安徒生也深情地望着她那双迷人的棕色眼睛……

安徒生突然感到脖子上痒痒的，他很不情愿地睁开了眼睛，原来是一只夏虫飞到了他的脖子上，安徒生把它从脖子上拿下来轻轻地放在手里，叹着气说：“我还不如你勇敢。”他把夏虫放在草地上。夏虫走了，他也要回到自己的房间里了，他不能让自己沉浸在自己的幻觉中。安徒生的想象力太丰富了，有时候都有些令他害怕，他知道那都是些不真实的梦。但他还是忍不住去想象，他能在想象中感受到得不到的幸福，但他也深知那些想象带给他的只能是徒劳的痛苦。

在克里斯钦·沃伊格特的父亲家里住了一段时间之后，安徒生要离开了，这段时间里他始终没有当面向里玻格表白。连能与里玻格见到的时候，也只是与她说上只字片语。安徒生心里想：难道自己真的就是一个胆小鬼吗？他在离去的马车里越想越难受，慢慢地垂下了头，分外沮丧。

回到哥本哈根后，安徒生每天都在思念着里玻格，他不知道什么时候，还能再见到那双棕色的眼睛。安徒生抑制不住自己对她的思念写下了这首诗：

> 我心中思慕的，只有一个你。
> 我心中初恋的火焰，只为你燃烧。
> 还有谁比我更倾慕你，
> 让我住进你的心里，
> 从现在直到永远。

安徒生决定将这首诗写进信里，寄给里玻格向她告白，他要告诉里玻格自己对她的爱恋有多深。里玻格收到信之后有些吃惊，她从来只把安徒生当作一个普通朋友。安徒生也把自己对里玻格的感情，写信告诉了克里斯钦·沃伊格特，希望能得到他的支持。但克里斯钦·沃伊格特在给他的回信里说，里玻格是无法和他在一起的，她要和别人订婚了，而且一定会结婚的，希望他能把里玻格忘掉。

里玻格也给安徒生回了信，信很简短，难掩她的尴尬与困扰：

> "很对不起，我真的没办法回应你，请不要使我成为那样不幸的人吧！我可以与您成为更亲的兄妹或是好朋友，但不能接受您对我这样的爱。"

安徒生在看过信之后，难过了很长时间，直到有一天克里斯钦·沃伊格特托人告诉他家里有人生病了，他和家人要一起到哥本哈根来，希望可以与他见一面。虽然里玻格拒绝了他，但他还是忍不住想要再见到她，他还深深地爱着她。

安徒生去看望了克里斯钦·沃伊格特和家人，晚上他们相约一起去看戏剧。里玻格也去了，那天她真的穿了一件深蓝色的长裙，只是安徒生手里并没有拿着那朵世界上最美丽的玫瑰花，这朵花儿现在已经枯萎了，再也救不活了。

安徒生忍不住把目光投向他心中最纯净的女孩儿，看到她的每一秒都令他感觉美妙无比。那是安徒生最后一次见里玻格，戏散场了，他们也要说再见了。克里斯钦·沃伊格特和家人一一过来和安徒生告别，最后一个是里玻格。她穿着深蓝色的长裙优雅地走过来，安徒生的眼前又出现了那朵世界上最美丽的玫瑰花，这朵玫瑰花来自浩瀚神秘的深海，但很快就要消失在他的生活中了。

这朵世界上最美丽的玫瑰花轻轻地对他说："再见了，永远！"

第二天早晨，克里斯钦·沃伊格特转交给他一封里玻格写给他的信：

"再见了，安徒生，不管怎样，谢谢您对我的关爱，希望您继续写诗！我衷心地希望您一切都好！"

安徒生在上次与里玻格分别之后，还曾想过为了她要放弃写诗，他要去做些能赚钱的事情，他想再努力多读些书，他想将来成为一位受人尊敬的牧师，只有这样他才有能力娶心爱的里玻格。而这些想法在他看完这封信之后，也跟着彻底消失了。他将自己对里玻格的爱慕放在了心里，里玻格在信里鼓励他继续写诗，他想既然这样，今后一定要写出更多人们喜爱的诗歌，成为一位受人尊敬的诗人！

安徒生一直保留着里玻格写给他的信，她是他一生都很珍视的初恋，也是他心中永远的——世界上最美丽的玫瑰花。

不久之后里玻格就结婚了，在安徒生动身去哈茨山之前，他画过一张速写画，画中有一座高高的十字架，一个有些令人心惊的假面具，一架琴，一部诗集，最显眼的是两枚着重描黑过的相扣在一起的戒指。十字架上写着“诗人”两个字，显然是指的安徒生本人。

这幅画是安徒生在祭奠心中对里玻格的爱恋，他知道他们永远无法在一起了，但他要把那份真挚的爱变成永恒保留在心底，戒指是他为里玻格准备的，可他终究无法为她戴上，他很伤心，伤心到快死了。

为了排遣内心的苦闷和想爱而不得的感伤，安徒生又开始了他的“漫步”。从德国旅行归来之后他的心里好受了些，让他的心胸开阔了许多，他开始重新审视自己的生活。安徒生把对里玻格的爱恋放在了心底，初恋对他来说既甜蜜又苦涩，他第一次体会到了这种复杂情绪，也渐渐地清楚了这是生活里必定要经历的一切。

安徒生不知道自己的心还能不能找到最后的归属，但他依然渴望着美好纯净的爱情。直到1840年，珍妮·琳德出现了。

安徒生始终认为，他结识到了一位对他来说有着重大精神意义的朋友。之前他结交过一些对他成为一个诗人有很大帮助的社会人物，然而从更高贵的意义上说，他们谁也比不上珍妮·琳德，这个女人让他更加忘却自己，让他更深地感受到艺术的神圣魅力。

没有一只夜莺只为他歌唱

安徒生在1839年和1840年的旅行目的地都

是瑞典。怀着逐渐明朗的心情，安徒生在这个邻国，听到了后来在他心中珍藏了许久的“夜莺”的名字，这时他们还没有正式见面认识彼此。

后来，安徒生是在哥本哈根第一次见到了珍妮·琳德。那时珍妮·琳德的名字出现在当地一家旅馆的客人登记牌上，这个名字立刻引起了同样住在这家旅馆的安徒生的注意。在那之前，安徒生已经到过了瑞典，他知道在这个邻邦的首都斯德哥尔摩，有这样一位小有名气的歌唱家，但是在瑞典之外的其他地方还很少有人知道她。安徒生决定去拜访她，珍妮·琳德礼貌地接待了他，但是安徒生看得出来，她对于这个不速之客的到来颇感意外。他们的第一次见面十分平淡，珍妮·琳德一点儿也没有表现出对安徒生的好奇与热情，这次见面没有给安徒生留下任何特别的印象。

1843年的秋天，珍妮·琳德又一次来到了哥本哈根，这时候的她已经读过了安徒生的一些作品，她很希望能再见到他。安徒生应邀来到詹妮·林德的住所，这一次她表现得不再像第一次那样拘谨，她真挚地同安徒生握手，并且认真和安徒生交谈了对于他作品的看法。她对安徒生说了自己即将在哥本哈根登台演唱的担忧，她还从来没在瑞典以外的地方演唱过，她不知道自己在哥本哈根的舞台上会经历些什么，她很怕在哥本哈根被嘘下台。

“我认为你一定要试试！我敢肯定大家会喜欢你的演唱！我能给出的唯一建议，就是你在登台演出的过程中加上那么一点点戏剧性，台下的观众会为你疯狂的，你一定要相信自己！”

虽然安徒生听过太多的冷嘲热讽，但他对待自己的朋友从来都是真诚的，有时候他觉得自己在鼓励朋友们的时候，也就是在鼓励他自己，他一样能感受到坚定而自信的力量。当然他也十分想听珍妮·琳德的演唱，他还不知道她的歌声到底是什么样子，他心中充满了期待。

珍妮·琳德穿着一件如太阳一般红色明亮的百褶裙，带着些许紧张登上了哥本哈根的舞台，那晚她饰演了梅耶贝尔的作品《恶魔罗勃》中天真烂漫的爱丽丝，这个角色太适合她了，她的歌声是那么纯粹自然、清澈明净，人们仿佛忘记了舞台的存在，跟随着她的歌声进入了《恶魔罗勃》

的世界。

安徒生意识到珍妮·琳德是一位非常有天赋的歌唱家，他已经开始为她着迷了！剧场里的人们因为珍妮·琳德的演唱而进入了狂欢，哥本哈根的大学生们还为她献上了一首夜曲表示感谢，这代表了青年人对她极高的认可，她也是第一位获得这样认可的女歌唱家！大学生们演唱的夜曲里有一首是安徒生作的，这让他感到非常开心，就好像是他自己专门为珍妮·琳德写的一样！珍妮·琳德又清唱了两首歌曲表达自己的谢意，安徒生再一次陶醉在那清甜动听的歌声里。他看到珍妮·琳德唱完之后，跑到一个角落里留下了喜悦的泪水。

“我要更加努力！要比现在更勤奋，下次来哥本哈根的时候我要演唱得更好！”珍妮·琳德激动得差点儿要呼喊出来。

此时安徒生除了对珍妮·琳德的歌声着迷，还因为她坚定努力的态度而对她敬佩有加。在舞台上的珍妮·琳德可以像太阳一样，吸引所有人的目光，但是在家里的她却十分内敛还略带些腼腆，23 岁的珍妮·琳德在安徒生心里是一个多么单纯美好的女孩儿！安徒生从她那里感受到了前所未有的圣洁，他将珍妮·琳德视为在罗马守护着维斯塔灶火的贞女祭司，传说只要维斯塔的火焰不熄灭，罗马就能够保持风调雨顺，而维斯塔的火焰要由最纯洁的贞女来守护。

安徒生从珍妮·琳德那里真正认识到了艺术的圣洁，从她那里他懂得了如果是为了更加高尚的事业，所有人都应该忘记自己！没有哪一本书，没有哪一个人能比珍妮·琳德对他作为一个诗人，有过更好、更加高贵的影响！因此，他对她的记忆保留得那样长久，那样生动！安徒生与珍妮·琳德这段时间的交往，让他感到了无与伦比的幸福，他觉得自己对艺术和生活的感受更加明朗起来，他的心中充满了灿烂的阳光。安徒生渐渐从之前国内对他的那些批评与嘲讽的声音里走了出来，他从珍妮·琳德那里获得了足够的宁静与淡然，也更加愿意用精彩的旅行生活来充实自己，安徒生是那样愿意接近和信任对他真诚的人，这是他的天性。于是从 1844 年的夏天开始，安徒生又继续去旅行了。

安徒生在柏林和伦敦旅行的时候，都见到了

心心念念的珍妮·琳德。在柏林，安徒生为了与她会面过一个特别的圣诞节，推掉了所有的邀请，可珍妮·琳德并没有邀请他来参加晚宴，安徒生在旅店里孤独地等了一晚上。他伤心极了，即便火炉里燃烧着热烈的火焰，他的心里却冷极了，甚至都快要上冻了！后来当他见到珍妮·琳德的时候，讲述了自己那晚的难受，原来她并不是有意不邀请他，而是想着可能有很多王室成员要邀请他参加晚宴才没有通知他。

珍妮·琳德轻轻地抚摸了一下安徒生的脸庞，让他不要再生自己的气。安徒生听了这样暖心的解释，当然不再生气，他还在心里庆祝起来，他将会有一个非常特别而温馨的夜晚了！等到了那一天，安徒生带着特别激动的心情与她见面了，还有一个她的女伴，他们三个人像小孩子一样玩起“来客人啦”的游戏，吃了一顿丰盛的大餐，珍妮·琳德还演唱了一段咏叹调和几首安徒生从来没听过的瑞典歌曲，安徒生得到了一棵珍妮·琳德为他装饰的圣诞树，并且圣诞树下的所有礼物都归了他。

安徒生来到伦敦之后，听说珍妮·琳德要在

这里登台演唱，他向周围的人打听她的消息，现在他要找到她，一切都是为了与她相见。安徒生写了一张正面写着他名字的名片，给了珍妮·琳德居住的地方的门房，期望门房一定要转交给她。门房有些不情愿，因为每天想要来拜访詹妮·林德的人实在太多了，有些人觉得只要能见她一面就心满意足了，她现在太有名了，开始享誉整个欧洲。安徒生期盼着她的回信，等待的那一晚让他觉得实在太漫长了。第二天早晨，他收到了给"哥哥"的字条。看到"哥哥"这两个字的时候，安徒生的内心非常复杂，他一边因为珍妮·琳德的回信而感到喜悦，很快又能见到她了，一边又实在不愿意看到珍妮·琳德仅仅把他当成兄长一样对待。

尽管有些失望，但安徒生还是感觉到双脚已经不受自己控制地出了门，此刻那些兴奋与激动的情绪全都聚集到了他的脚上，让他不由得想要跳起舞来。他根据珍妮·琳德给他的字条上的地址，在地图上仔仔细细地寻找着。安徒生要去的地方在伦敦的老布隆普敦，他坐上了公共马车，车夫是个很友善的老人，老人详细地告诉他坐着公共马车最远可以到哪里，他应该在哪里转弯，到哪一所房子里才能找到“瑞典夜莺”。“瑞典夜莺”——这是一个多美妙的名字啊！

1843 年，安徒生写了《夜莺》，故事发生在中国的皇宫里，有一个至高无上的皇帝。这座宫殿里偶尔飞来一只从海边森林里来的夜莺。所有有幸听到过这只夜莺声音的人们，都说这是皇帝拥有的最好的东西了。

1845 年的秋天，当珍妮·琳德第三次来到哥本哈根的时候，她受到了人们极其热烈的欢迎，有的人为了买到她演出的门票排了一整夜的长队！这次她的演出极其灵动，每一个姿势都看得出来发挥了她的想象，人们在她的演出里看到了对角色最新颖、最真实的诠释。安徒生觉得她不只是一位歌唱家了，她不仅歌声美妙动听，还对自己的表演有着极高的要求，她在安徒生的心里已经是一名杰出的艺术家了！珍妮·琳德在哥本哈根演唱的时候都是用瑞典语，而其他人用的是丹麦语，这样一来仿佛有些不协调，但是令人惊艳的是，她用母语演唱的歌曲与另一种语言和谐地融合在了一起！

安徒生不仅被珍妮·琳德的歌声深深吸引，他还喜欢她那纯净和善良的心性，这一切都太完美了！珍妮·琳德在哥本哈根的巨大成功并没有让她骄傲起来，这是她最后留在哥本哈根的一些日子，她几乎每天都要演出，演出之后还要参加名流们的宴会。当她听说社会上对“援助被遗弃儿童协会”的援助金还很少的时候，连忙告诉安徒生自己有一个晚上没有签约的演出，她说可以免费演出一场，为这些被遗弃的孩子们募捐一些钱。她决定将这场演出的票价加倍，如果不是为了募捐，当时的演出是绝对不允许提高票价的。那晚的演出，珍妮·琳德演唱得格外动听，她的善良感动了很多人，募捐到的钱足够这些被遗弃的孩子们用一两年的。

珍妮·琳德在哥本哈根停留期间，住在芭蕾舞蹈家布农维尔家里，安徒生每天都去那里见她，并与她真诚地交谈。离开哥本哈根之前，珍妮·琳德要在皇家大旅店举行一个告别晚宴，安徒生隐约有了一些伤感。起初他对比自己小一些的珍妮·琳德，怀着兄长对妹妹的珍视之情，现在他越来越无法说服自己，他已经深深迷恋上了这个女孩儿。这个女孩儿拿着香槟优雅地向他走来，她就像他每天清晨看到的初升的太阳啊，散发着温暖的光芒，轻轻地照在他身上，他陶醉在珍妮·琳德向他走来的每一个瞬间，他不想把目光从她身上离开一丝一毫。

“我向大家郑重介绍我在哥本哈根的最亲爱的兄长安徒生先生！如果让我在这里选择一个人当我的哥哥，我一定选他!”珍妮·琳德举着酒杯大声对在场的每一个人说。然后稍微停顿了下，露出一个天使般迷人的微笑，她轻轻地将自己的酒杯碰向安徒生的酒杯，并且问他：“您愿意当我的哥哥吗?”，安徒生稍一停顿，然后点了点头。可是他心里却失望透顶，原来在珍妮·琳德的心里，他只是一个兄长，虽然好像这样的关系比很多人与她的关系更亲密一些。可安徒生的心里越来越传出坚定的声音，他已经爱上她了。不仅仅是因为她姣好的脸庞和动听的歌声，还因为她那善良纯真的内心，在很多时候同他是一样的。

安徒生恋恋不舍地与珍妮·琳德告了别，她给了他一个紧紧的拥抱，说希望他们还可以再见面，她会一直记得他这个兄长。珍妮·琳德离开了哥本哈根之后，安徒生经常与她有书信来往，安徒生每次都强忍着不说出那句“我爱你”的话，他很害怕打破他们之间这些自然的交流，他怕彻底失去她。里玻格和珍妮·琳德不一样，里玻格是他青春萌动时期想要去接近和爱护的女孩儿，那时候他还不太清楚爱情是什么样子，一切仿佛都在他的想象之中。而珍妮·琳德是他在现实世界里最想要去守护的人，他仰慕着珍妮·琳德的精神世界，他为她的一切着迷，他对于爱情的理解已经成熟了许多。

1852 年，珍妮·琳德与奥托·戈德施密特在美国结为了夫妇，安徒生在心底仰慕了她很多年，可是他终究无法和她永远在一起，但对她的心意早在 1843 年就写进了他的童话里，那只歌声甜美的“夜莺”就是她，他与这只“夜莺”的秘密也因为这篇童话，成了永恒。

第六章
给全世界的童话

剪纸是诗文创作的开始

安徒生总是随身带着一把剪刀，把想到的事情都剪下来，有时候还会将这些剪纸贴在硬纸上以便保存，他仿佛有着无穷无尽的创作能量。

安徒生剪纸的时候从来都不是先把形状描在纸上，他只要把纸拿过来放在剪刀中，那张纸就像有了生命一样。他有时把纸对折，剪出左右对称的图形；有时又刻意把纸错开折叠，让剪出来的图形有了错落的美感，更具有想象的空间；有时还会把纸张的部分位置挖空。他经常给朋友们的孩子剪纸，孩子们总是带着热切期盼的眼神，看着纸张在他的手里上下翻飞，安徒生满足于和孩子们的互动，他总能想办法让孩子们开心！即兴剪出来的形状，只有孩子们想不到的样子，没有安徒生剪不出来的。

里格默尔·斯坦普是安徒生的教女，她曾经多次看到安徒生剪纸，长大后写了《安徒生和最接近他的人》，其中提到了很多关于安徒生剪纸的事情。安徒生剪的都是自己心爱的东西，其中天鹅、心、人形风磨、天使、芭蕾舞女、跳舞的皮埃罗都是安徒生非常喜欢剪的，但是这些形状每次会出现在不同的场景里，从来不会重样。安徒生剪的人物惟妙惟肖，它们就像刚从童话里走出来一样。

他还曾经在一幅剪纸上写下这样的诗句：

从安徒生的剪刀下，
猛地蹦出了一篇童话，
剪纸归了你，
你是温和的评判家。

安徒生用英文发表过一篇叫作《宫廷人像扑克牌》的童话，但是安徒生并没有将它编进自己每年的童话集子里，之所以用英文发表，是因为这篇文章最早是为美国的《青少年河边杂志》杂志社提供的一系列童话稿件中的一篇。一直到1925年12月20日才首次用丹麦文发表在《贝林时报》上，题目叫作《国王、皇后和杰克》。直到21世纪初这篇童话才被翻译中文。

故事里面的小男孩叫威廉，整座宫殿都是他剪纸拼贴出来的。其实“小威廉”就是安徒生自己。这个故事里奇妙的一切其实就是安徒生在剪纸的过程中想出来的。

除了单张的剪纸，安徒生还喜欢将自己的剪纸连同一些从报纸、图书、海报等上面剪下来的图案按照自己的想法拼贴在准备好的空本子上，做成一本本画册。1852年，他为里格默尔·斯坦普拼贴好了一整本画册，这也是他拼好的第一本画册。里格默尔是阿道尔夫·德鲁森的外孙女，也是安徒生最喜欢的教女。

阿道尔夫·德鲁森在教育孩子方面很前卫，他认为孩子应该从小就看一些图画书。阿道尔夫把自己的想法告诉了安徒生，请安徒生和他一起给自己的外孙女里格默尔拼贴一本图画书，安徒生欣然答应了。

他们从丹麦、德国、法国的一些报纸、杂志、图书、海报上面寻找那些认为有趣的、能够引起孩子们兴趣的画，然后把它们剪下来，并且按照一定的思路拼贴在预先准备好的空白本子上。阿道尔夫家是当时丹麦很有名的“哥本哈根滨海磨坊纸业”老板，所以他们用来拼贴画册的纸是当时最好的纸。安徒生还在一些拼贴的画中间写上一些很可爱的小诗。这本画册拼好之后，作为生日礼物送给了当时只有两岁的里格默尔。画册里涵盖了多姿多彩的内容，有许多地方的风景、丰富的历史故事、现实中发生的有意思的事情、四季里植物们的样子等。那些得到过安徒生拼贴的画册的孩子们，都异常珍惜这份极为用心的礼物。

安徒生在1852—1867年间一共单独或者与别人合作拼贴了十六本画册。他很用心地拼贴它们，有时候剪下来的画并不能完整地表达他心中构思出来的故事，他就自己用画笔画完整或者用自己的剪纸来拼贴完整，这些画册上留下了安徒生创作的许多首诗歌。安徒生的那些无穷无尽的创作能量在画册中淋漓尽致地展现了出来。

剪纸伴随着安徒生的一生，甚至在他不再继续写童话之后，还一直进行着。因为疾病的折磨，安徒生很难再继续自己的童话创作，但他怎么会完全放弃表达自己那些个性的想法呢？他想到了前一年一位朋友送给自己的一座四扇屏风，起初这座屏风是朋友送他放在卧室里隔挡火炉用的。他决定用一些剪贴画把这四扇屏风装饰起来。

安徒生在这座四扇屏风上描摹了自己曾经走过的地方，尤其是那些留在了他记忆深处的各国的风景。

安徒生的剪纸在当时的欧洲是非常超前的，那时欧洲的剪纸还只是停留在人像剪影的阶段，而他的剪纸充满了生命的气息，是一个个完整的童话模样。安徒生在剪纸的过程中构思着他的童话，剪纸给他带来了源源不断的灵感，更在这一过程中得到了孩子们许许多多的喜爱，这让安徒生感到了极大的满足和欣慰。安徒生的一生中有上千件剪纸作品，但是大部分是他与孩子们玩耍时剪的，并没有得到很好的保存。保存下来的一些，现在可以在丹麦皇家图书馆和他家乡欧登塞的安徒生博物馆里看到。

“我要为下一代创作了”

安徒生童话代代相传，成了全世界的孩子们

童年里不可或缺的故事，还有很多人在长大了之后，依然愿意读他创作的童话。在安徒生之前，虽然已有了法国夏尔·佩罗的童话集《鹅妈妈的故事》以及德国雅各布·格林和威廉·格林的《格林童话》等，但他们的作品多是根据搜集来的民间传说整理加工而成的，而安徒生的许多作品完全是他自己创作的。1835年，他写信给朋友说“我要为下一代创作了”，其实在这之前，他已经开始在作品中尝试着加入童话元素，只是那时候写的童话只是作为小说中的一部分，并没有单独成篇。

安徒生发表于1829年的《一八二八和一八二九年从皇家岛运河漫步到阿玛奥东端》里，就有如此神奇而富有想象力的童话描写：“海滩边有布满深褐色海藻的巨石，戴着灯芯草花环的小美人鱼在歌唱。夜幕降临，小精灵们在月光下欢舞。森林深处，巫婆在跳动的火焰旁用魔杖施法。但这些邪恶的魔法伤害不了我们，因为天空中有仁慈的上帝与活泼的小天使们。”

之后在1831年创作的《1831年夏游览哈茨山、萨克森山瑞士等地的剪影》中也有童话的部分，安徒生的想象力实在太丰富了，他必然要在这些故事里倾吐出来，此时的他只是为了表达自己内心情感，还没有想到要为孩子们创作童话。真正让安徒生产生为孩子们写童话的念头，是在他给朋友的孩子们讲故事的时候。孩子们听得那么着迷，而且特别愿意听他自己编出来的故事，这让他暗下决心，一定要为孩子们写些故事出来。

安徒生每次给孩子们讲故事的时候，总会回想起自己的童年，那时候的他没有多少玩伴，后来父亲去世，更没有陪他玩的人了，他对寂寞和痛苦的生活深有体会。童年的时候，安徒生心里就已经有了许多梦幻般的美好渴求。像他小时候一样穷苦的孩子还有许多，他愿意为他们写一些故事，当然也为了其他的孩子，他希望所有的孩子都能从自己的故事里获得欢乐。安徒生慢慢意识到，只有在童话里他才能无拘无束地表达自己，之前写的诗歌、戏剧、小说等都不能像童话故事那样纯净，没有哪一样是像童话故事那样包容的。最重要的是，孩子们愿意听童话！

1835 年，在小说《即兴诗人》出版后的几个月，安徒生的第一本童话集就出版了，这是一本

61页的小册子，是安徒生第一次尝试着为孩子们写的，里面收录了四篇童话：《打火匣》《小克劳斯和大克劳斯》《豌豆上的公主》和《小意达的花》。《天方夜谭》是安徒生小时候经常听父亲和纺纱的妇人们讲的，里面的故事对他来说太熟悉了。《打火匣》受到《天方夜谭》的影响，故事情节与其中《阿拉丁和神灯》很相像。阿拉丁有了盏可以实现愿望的神灯，这让小时候听这个故事的安徒生十分羡慕，于是他就让《打火匣》里的士兵也得到了一只可以实现愿望的打火匣，在故事的最后，士兵还成了新的国王并且娶到了美丽的公主。安徒生在现实世界里很难实现的愿望，这下都可以在他的童话里实现了。《小克劳斯和大克劳斯》取材于现实与民间故事，安徒生借这个故事赞赏和同情像小克劳斯那样聪明机智却常常受到压迫的人们，对平日里像大克劳斯那样残暴和愚蠢的人们，给予了极大的嘲讽与蔑视。安徒生在现实世界里不敢直接说出来的话，借童话里的人物说了出来，不敢做的事让童话里的人物勇敢地去做了。童话成了安徒生鲜明地表达自己情感的地方，他始终希望善良的人可以得到好报，恶毒的人都没有好下场。《豌豆上的公主》也是安徒生根据小时候听来的故事改编的。

《小意达的花》和其他三篇都不一样，完全是安徒生根据自己的生活经历创作出来的，它完全没有受到以往听来的民间传说与其他故事的影响。安徒生对《小意达的花》最为满意，认为这篇故事没有任何可以指责的地方。安徒生在拜访诗人蒂勒的时候，见到了蒂勒六岁的小女儿意达。意达正为要凋谢的花儿难过地掉眼泪，安徒生就讲了一些关于植物园里花儿们的故事来安慰她，讲这些故事的时候安徒生加入了一些自己的想象。等他离开之后，脑子里想的都是自己给意达讲的花儿们的故事，他决定要写一篇童话，于是就有了《小意达的花》，安徒生还把那天意达对他讲的话写进了童话里。

故事里的大学生就是安徒生自己，他在现实中喜欢给孩子们讲故事，并且能一边讲故事一边剪纸，他将这些和意达的有趣互动写进了自己的童话里。故事里的小意达做了美好的梦，梦里的花儿们举办了舞会。小意达不再因为白天花儿们的枯萎而伤心，她决定把它们埋到花园里，等夏天来临的时候它们又能长出来了。《小意达的花》是第一篇真正体现安徒生童话风格的作品，纯真的幻想与梦境在他以后的创作中也经常出现。

安徒生的第一本童话小册子没有获得应有的赞赏，各种各样的非议接踵而至。有的人认为安徒生根本没有写童话的天赋，童话也不适合这个时代，童话是多么幼稚，而且他写的童话根本不能让孩子们从中获得有意义的东西。之前看好安徒生的人也告诫他不要再写了，他是不会因此而取得认可和成功的。评价者在最后直接希望安徒生不要再浪费时间给孩子们写童话了，安徒生对这些评价不以为然。

1835 年，30 岁的安徒生心性已经与以往很不相同，他坚定地认为自己一定可以成为一个好的诗人，还能写出更多好的小说。现在，他的脑子里有越来越多的童话，它们是那么生动，让他无法停下手中的笔，无论别人说什么，都无法阻止他继续创作童话。在出版第一本童话集时，安徒生想以自己的方式，讲述他童年时听到的故事，并尝试着完全根据自己的想象创作。他也想过，如果这些童话既能给孩子看也能给大人看就更好了，可是他知道那些博学的批评家们根本瞧不起他写的这些“幼稚”的语言，所以他特意将这些故事称为“讲给孩子听的童话”。社会上批评他的人越多，反而越能激发他写童话的决心，他在给朋友的信中说，这才是属于他的不朽的工作。写童话的灵感源源不断地涌来，他曾说：“它们像‘种子’一样藏在我的思想中，一股涓涓细流、一束阳光，或一滴苦酒，就能使它们破土而出。”

安徒生对这份“不朽的工作”十分勤奋与上心，很快在 1836 年，第二本童话小册子出版了，收录了《拇指姑娘》《顽皮的孩子》和《旅伴》。1837 年，第三本出版，收录了我们非常熟悉的《海的女儿》和《皇帝的新装》。后来他把这三年出版的三本小册子合成一本书出版，安徒生还为这本书写了前言，在前言里，安徒生抱怨这些童话在丹麦国内并没有引起重视。在已经出版的九个故事里，《小意达的花》《拇指姑娘》和《海的女儿》完全是安徒生自己创作的。

《拇指姑娘》里的主人公是一位非常善良的娇小的小女孩儿，她太小了，几乎没有大拇指的一半长，出生在一朵金红色的郁金香里。她从小生活的摇篮是胡桃壳做的，床垫是蓝色的紫罗兰花瓣，夜里盖的被子是玫瑰花瓣。她很有爱心，遇到了一只小燕子，起初她以为燕子已经死了，把头靠在鸟的心口上伤心起来。后来发现燕子只是冻僵了，她把燕子放在温暖的床上。燕子活过来之后带着她飞到了温暖的地方，她在那里遇到了花儿们英俊的国王，这个国王和她差不多大，还把皇冠摘下来戴到她的头上，她接受了这位英俊的国王，成了这个王国里的王后。安徒生在这个故事里强调了自己童话作家的身份，他要让所有读到这些作品的人都知道这是他自己创作的童话，他有写童话的决心和天赋。

《皇帝的新装》来源于安徒生听过的一个西班牙故事，安徒生用幽默诙谐的语言，讽刺了当时愚蠢无知、荒唐可笑的统治者。孩子是最纯净的，所以故事的最后安徒生让一个孩子说出了真相。皇帝并没有穿衣服，他的大臣们还要违心地附和他，周围看闹剧的人们也不敢吭声，在单纯的孩子说出实情之后，才纷纷大胆地说出了真相，安徒生借此讽刺当时社会上一些虚伪的人。

安徒生最初非常希望自己的童话能够受到各

个年龄阶段人们的喜爱，他认为这是那个时代每一个愿意写童话的人的任务。但他知道现在写的故事会赢得孩子们的心，大人们喜欢的是一些深层的内容。《海的女儿》是这些故事里最特别的一篇，起初他考虑把它单独印出来，不过这样显得有些太自以为是，于是它就与《皇帝的新装》一同发表了。安徒生想要创作这样一篇含义很深，只有大人能够理解的童话，但是他知道孩子们光看到故事里的情节就已经很喜欢了。安徒生把自己对生命的思考融入到童话里，他肯定了海的女儿为了得到与王子坚贞不渝的爱情所做的牺牲，他深信海的女儿的善行能让她最终拥有一个不灭的灵魂。

安徒生对《海的女儿》的用心终于得到了回报，这篇童话获得的认可比以往出版的任何一篇都多。1838 年的圣诞节，他的另一本童话小册子出版，也是从这一年开始，安徒生的童话成了以后每年圣诞节不可缺少的东西。费斯特尔先生和约恩森小姐甚至试着在剧院里朗读他的童话，这是件很新鲜的事情，童话慢慢代替那些人们已经听厌烦了的辞藻华丽的作品。孩子们是最高兴的，他们可以去剧院听那些已经看了很多遍的童话了。

1838 年到 1844 年，安徒生坚持着他的童话创作，并一直将他写的童话称为“讲给孩子听的童话”，这些童话一年接一年地陆续出版。《幸运的套鞋》《坚定的锡兵》《野天鹅》《飞箱》《鹳鸟》《荷马墓上的一朵玫瑰花》《玫瑰小精灵》《猪倌》《接骨木树妈妈》等童话都是在这六年中创作的。

1844 年春天，安徒生还完成了一部童话剧《幸运的花》，他想要在剧中表现的是：幸福存在于人们对清贫的满足，存在于爱人和被人爱之中。1835 年到 1844 年，是安徒生写“给孩子们的童话”的时期。安徒生从最初的尝试，到越来越坚定地创作，并且以坚持创作童话为自己的责任。安徒生不能辜负孩子们对他的热爱，也不愿意放弃让大人们喜爱上他的童话的努力。他的童话既取材于自己过去听来的民间故事，又来源于自己的经历和想象。善良的心性、忠贞的爱情、坚定的信念、美好的追求都是他童话里的主题，他终于在童话的国度里完全释放自己，他一定会坚定地创作下去！

转向现实的《新童话》

1845 年，一个新的册子出版时，安徒生把它起名为《新童话》，他想用童话的形式去写有关现实的故事。安徒生用自己的一切情感和思想来写童话，但同时也没有忘记自己是成年人。安徒生认为在写一个讲给孩子们听的故事的时候，父亲和母亲会陪伴孩子阅读，因此他也得给大人们写一点东西，让他们一起聆听。他想写的这类故事不仅依旧获得了孩子们的喜爱，也渐渐吸引了大人们的兴趣，大人们也能从中得到一些有意义的东西，他们再也不能说安徒生没有写童话的天赋了。

在第一本《新童话》出版之前，安徒生创作的童话在德国引起了极大的关注，但在当时的丹麦却反响平平。到了 1846 年，丹麦非常有影响力的《祖国》杂志，给予了对安徒生童话的高度认可。丹麦国内对他的童话创作评价也越来越高。迈伊尔博士还在书评《安徒生和他的作品》里高度评价安徒生童话非常完美地填补了浪漫主义文学和由格林兄弟再现的民间故事之间的空隙。安徒生的童话还被翻译成了欧洲的大部分语言，德国出版了好几个译本，接着英文和法文译本也出版了。后来这些童话还被译成了瑞典文、荷兰文等，越来越多的人读到了安徒生的童话。

在法文译本里，人们把他的童话与法国著名文学家拉封丹的寓言故事相提并论，认为他是新拉封丹，能在作品里让动物带着意识说话，故事里的主人公能够与动物们同甘共苦，甚至还能成为知己。拉封丹的寓言是小时候父亲经常讲给他听的，现在有人将安徒生的童话和拉封丹的寓言相比，这样的评论让安徒生感到荣幸。国内外前所未有的好评论越来越多，让他有了勇气，得到了欢乐，有了更多创作童话的欲望，也更想去探索童话的本质。安徒生想让人们看到他的进步，想让他的童话语言看上去更加清新自然，想让自己的创作更加稳健。

收录在第一本《新童话》中的作品有《天使》《夜莺》《情人》《丑小鸭》，安徒生将这本小册子献给了曾经给《即兴诗人》以很高评价的诗人卡尔·巴格尔，他感谢卡尔·巴格尔的诗作给了他不少的启发性思想和丰富情感。《丑小鸭》并不是一次性写完的，他在吉赛尔费尔特庄园做客的时候只写了其中一部分，其余的在六个月之后才完成。

《丑小鸭》是一篇自传性质的童话，丑小鸭出生之后就受到其他小鸭子们的欺负，但是它并没有放弃自己。它逃出了养鸭场，离开了并不了解它的母鸡和温暖的农舍，它知道自己必须重新到外面的世界去，它的心中有美好的追求。它最后来到一群美丽的天鹅那里，心里想着即使被它们啄死也比被鸭子咬，被喂鸡鸭的女仆嫌弃要好得多。没想到在清澈的溪水里它看到了自己的倒影，它已经不再是一只灰色的丑小鸭，而是一只优雅美丽的天鹅了。安徒生心中永远都装着爱的力量，安徒生将这些力量倾注在丑小鸭身上。他知道自己要在世俗偏见中努力抗争，他很清楚自己“下层社会”的出身，只有通过坚持不懈的努力，心中永远保持对美好生活的追求，才可能获得更多的认可与尊重。

随着安徒生的童话小册子一本本出版，越来越多的大人对他的童话产生了浓厚的兴趣，朋友们还会给他一些写作建议。1846 年，他的朋友托瓦尔森说：“给我们写个新的滑稽童话吧！你什么都能写，甚至能写一根织补针。”他马上回到房间，很快就写出来了《织补针》。此时的安徒生已经对写童话胸有成竹，一点儿灵感就能变成一篇有趣的童话。

从 1845 年到 1851 年，安徒生发表的童话都叫作“新童话”，包括《红鞋子》《跳高名手》《小士克》《影子》《老房子》《卖火柴的小女孩》《幸福的家庭》《亚麻》等。这些童话有的是安徒生即兴给孩子们讲的，比如《跳高名手》；有的来源于他的童年记忆，比如《红鞋子》《小士克》《老房子》。《卖火柴的小女孩》是“新童话”中最为人熟知的作品，它是安徒生去国外旅行途中逗留在格罗斯滕城堡时，在那里接到了弗林奇先生的信。信里有三张画片，弗林奇邀请安徒生选择其中一张为他的年刊写个故事，安徒生挑选了可怜的卖火柴的小姑娘那一张。

写《红鞋子》的时候，安徒生想到的是他十四岁领受坚信礼时得到的第一双靴子。当时他穿上靴子之后得意极了，顺着教堂的通道往前走，如果不是在教堂这样一个严肃的地方，他绝对要欢快地蹦起来。他听着靴子接触地面时发出的吱吱声响，声音美妙动听，他一点儿也不想让这声音停下来。他穿着靴子站在人们面前，觉得人们仿佛都知道这双靴子是崭新的，他们的目光都集中在这双靴子上了。但是很快安徒生内心不安起来，他发觉自己的精力分给这双靴子的太多了，他很内疚。

《卖火柴的小女孩》是“新童话”里最富有现实色彩的作品。故事里的小女孩在一个下雪的夜晚，赤着脚在街头流浪，她的小脚已经冻成了青紫色，整整一天了，没人买她的火柴。她又冷又饿，烤鹅的香味从富裕人家的窗子里飘出来，这味道飘向哪里，她的心也跟着去了哪里。小女孩不敢回家，她一点儿钱也没有赚到，父亲肯定会打她的。她手中的火柴被一根根划亮，她透过火光看到塞着苹果和梅干的烤鹅一摇一晃地冲她走过来。她还看到已经去世的奶奶，她请求奶奶带她离开。她看到奶奶把她抱到怀里，她们双双在光明和欢乐中向上飞升，飞到了一个没有寒冷、没有饥饿，也没有痛苦的地方。第二天天刚亮，可怜的小女孩被人们发现死在了墙角里，膝盖上都是烧光的火柴头，她嘴角上带着笑容。安徒生在最后给了卖火柴的小女孩一个光明的结局，这是安徒生很喜欢的结局。卖火柴的小女孩满怀憧憬与爱飞走了，在她心里那里的一切都是美好的。

安徒生的《新童话》赢得了越来越多的人们的认可，他的事业发展，宛如一个正在登上陡峭山峰的爬山者那样辛苦。安徒生逐渐看到了丹麦文坛在山巅赠予自己的曙光，他在一个小山头上占据了较为有利而稳定的位置。与以前那些尖酸刻薄的讥讽相比，丹麦人民所表现出来的认可态度和平静的做法更让他感到了鼓励的作用。安徒生的心田犹如射入了一缕和煦的阳光，心里非常暖和，他已经深刻体会到不管是幸福还是痛苦的经历，都是人生的巨大财富。安徒生在他的童话里加入了越来越多自己对人生和生活的感悟，人们不再觉得他的童话没有任何意义，反而他们也能从中获得很多真谛。

安徒生的童话在德国得到了很高的评价，霍泽曼和波奇伯爵等人为德国版的童话画了很多插图，其中一些插图还用在了英文版里。那时候的安徒生已经有了明确为自己的童话配插图的意识，他想孩子们一定会喜欢一边读童话一边看插图的。

德国的出版人洛尔克想出版他的童话集，并想请一位丹麦的画家来为童话集画插图，安徒生选择了海军军官威廉·佩德森来画。后来丹麦的出版人赖策尔从洛尔克先生那里，购得了彼泽森作品的出版权。1849 年，由绘制的 125 幅插图的丹麦版安徒生童话集出版了。这个版本收录了安徒生之前发表的所有童话，但是安徒生觉得还可以有更多的尝试。

囊括所有的《故事集》

1852 年，安徒生决定不再将自己的童话集叫作《新童话》，他想用一个新的名字来称呼他的童话作品，但他一时间很难找到一个更好的名称，他希望这个名称能在广义上涵盖他写的所有童话的性质。安徒生想了很久，有一天他突然想到儿童、农民和普通工人把幼儿故事、传说故事、民间故事、寓言和口头故事统称为“故事”。他认为用“故事”这个词语可以囊括他所有的童话创作，后来出版的童话小册子都是《故事集》里的一部分。安徒生的童话创作从最初的“给孩子们的童话”尝试，到希望得到成人们认可的《新童话》，再到内容丰富的《故事集》，他将童话写作这项“不朽的工作”，一直延续到了1872年。

1852年出版了《故事集》的第一本小册子，有7篇童话，1853年出版的第二本的小册子里有5篇，其中《样样东西要各得其所》来源于诗人蒂勒对他说过的一句话，“可不可以写一个童话，讲只要吹一声口哨，就能把样样东西吹到它该去的地方”，这句话成了那个故事的情节。故事的结局恐怕连蒂勒都没有想到，口哨能把东西吹去它们该去的地方，但口哨自己也有该去的地方，而它该去的地方是由安徒生决定的，安徒生可以在童话里实现他的任何想法。

《月亮看见了》又名《没有画的画册》，是非常与众不同的一部作品。起初安徒生并没有把它看作是童话，其中的20篇在1840年以一个小册子的形式出版，到了1855年又加进了13篇，合成了一个更大的集子出版。这部作品里的主人公是一个穷小子，住在窄得不能再窄的巷子里，他感到很孤独。当他打开窗户的时候，突然高兴了起来，因为他看到了一张熟悉的友好的脸庞——月亮。月亮对他说：“把我讲给你听的故事画下来吧，那么你将有一本非常漂亮的画册了。”这个穷小子就按照月亮的嘱咐，用自己的方式，拿这些画编成了一部新的《一千零一夜》。前言后的33篇小文，是月亮为主人公描述的它看到的世界各地的场景。这个穷小子就是安徒生自己，写这些小文的时候，安徒生租住在哥本哈根城北一条小巷里的一间小阁楼上。1840年到1855年，安徒生去了很多地方旅行，他把自己看到的、听到的、想到的都写进了这部作品里，这部作品是他写给成人看的，那时他决心要写一部新的《一千零一夜》。

1857年，安徒生的童话小册子在圣诞节如期出版，人们已经习惯在圣诞节读他的童话，这是件必须做的事情，像一个仪式。这一年的作品里，他有意识地尝试写了一篇用来帮助表达谚语和警句的童话——《香肠扦子熬的汤》。“香肠扦子熬的汤”是丹麦的一句谚语，它的意思是闲扯，造谣的人是做这道菜的行家。安徒生用这句谚语作开场白，后面是四位旅行归来的老鼠小姐讲的故事，第四位老鼠小姐还抢在第三位老鼠小姐的前面先说了出来。老鼠小姐们都讲了自己在旅途中发生的事，还有在外面学来的这道汤到底是怎么做的，不过最后它们并没有对这道汤究竟怎么做而达成一致。

1858年的春天，安徒生又出版了一本集子，这本集子里的《沼泽王的女儿》是他花时间最多、写得最辛苦的童话之一。安徒生将这个故事写到第三遍时，意识到没有将它讲清楚。于是他翻阅了一些冰岛的传说，读了一些当代旅行作家关于非洲的游记，还有一些关于候鸟迁徙的科学报告给了他启迪。终于，《沼泽王的女儿》被改写了六七遍之后，安徒生终于对自己的创作满意了。

安徒生写童话的灵感来得很快，一句话、一个场景、一句谚语等都能成为他写作的灵感。但安徒生并不仅仅依靠这些灵感，他想要把自己的故事写得不能再好为止，就要翻阅很多的书和资料。他的童话不仅取材于古老传说；还有一些是对现实的描摹，对生活里常见事物的描写，他秉持的是严谨的写作态度。安徒生确实把童话创作当成一份“不朽的工作”，他写出来的童话首先要令自己满意，只有这样，才能保证作品的质量，他要为自己的读者负责，这是他一直谨记在心的责任。

1848 年出版的《母亲的故事》和 1859 年出版的《墓里的孩子》，是安徒生写出来的最让自己感到高兴的两个故事，安徒生有很多童话写于旅行之后或旅行途中，他从旅行中获得了源源不断的灵感。在伦敦旅行时，他写了《幸福的家庭》，《小士克》是在他去奥尔登堡的旅行途中构思的。一位评论家还给他忠告说当他在童话里讲到某地的风俗时，他应该去问问当地的人，而安徒生正是这么做的，他到的每个地方，如果有机会就会跟当地的人聊天，童话里不仅有他美好的想象，还有现实里真实发生的事情。

1861 年出版的《屎壳郎》，来源于查尔斯·狄更斯曾经说过的话。查尔斯·狄更斯认为关于国王的御马与屎壳郎的阿拉伯谚语非常有趣，建议安徒生根据它来写一个童话。起初安徒生非常想写，但是他写不出来。但是 9 年之后，当安徒生游览了丹麦巴斯内斯城堡之后，偶然又读到了狄更斯的这句话，立马来了灵感，童话《屎壳郎》一下子就出现在他眼前了。

1868 年，安徒生出版的小册里只有一篇童话——《树精》。这篇童话来源于1867年安徒生到巴黎参观万国博览会，万国博览会的壮观场景令安徒生着迷。全世界都在报道那一盛况，其中丹麦的一篇文章说，只有狄更斯才有能力将当时的盛况描绘出来。安徒生看到这篇文章，心想也许自己也有这样的能力。如果他能把这篇文章写出来得到全世界的认可，对他来说是非常高兴的，安徒生站在旅馆房间的阳台上想着这些。他看到下面广场上有一棵树已经枯萎了，在它附近，有一棵鲜嫩的幼树被一辆大车运来，替换那棵已经枯萎的树。写巴黎博览会的故事的主题就隐藏在那棵幼树里。安徒生看到树神在向他招手，心中即刻有了关于树神一生的故事。安徒生把树神和巴黎博览会交织在一起，把他眼中的巴黎博览会的盛况和他所处的时代交织在一起，又把他所处的时代和他的童话交织在一起。

1872年，安徒生一生当中写的最后一本小册子出版了，里面收录了四篇全部写于“静庄”的童话，它们是：《老约翰妮讲的故事》《大门钥匙》《跛子》和《牙痛姑妈》。“静庄”是哥本哈根城外靠近石灰窑的一处庄园，安徒生在静庄里写了很多故事和童话。1873 年的秋天，安徒生饱受着病痛的折磨，他和周围的人说觉得自己很难再继续创作童话了，他在给朋友的信里写到这一年的圣诞节他第一次没有给孩子们提供一本童话集。安徒生写的《童话和故事全集》被译成了几乎所有的欧洲文字，他的童话是写给全世界的童话，不仅被孩子们阅读，也被很多成人阅读。安徒生说这是自己一生之中，享受到的世界上最大的福气了。

1874 年，安徒生在静庄写下了这些文字：

> “我活到如今已是个老人——照《圣经》的说法是‘三个双十加十’——因此快乐的演出一定已经接近尾声。在这个圣诞节我把我留下来的财富合在一起：一百五十六篇童话和故事。让《笔和墨水壶》中那位小提琴家的话作为我的结束语吧：如果我所做的工作还有什么价值的话，‘让所有的光荣归于上帝’！”①

①(丹麦) 安徒生著，任溶溶译：《安徒生全集》，浙江少年儿童出版社 2005 年版，第 1023 页。

享誉全球的童话诗人

1843 年 6 月 1 日，安徒生在日记里说：

“倾盆大雨。在斯塔曼家进晚餐，他为我的童话画了插图。本迪克森为我拍银版像。”

这是关于他拍照的最早记载。安徒生在成名之后，拍过很多相片，存世的有 174 张。现存最早的一张照片拍摄于 1846—1847 年间，我们可以从那些照片里看到安徒生 41 岁以后的样子。安徒生的最后一张照片拍摄于 1874 年 9 月 26 日，由皇家摄影师乔治·汉森在哥本哈根为他拍摄。照片里是一个穿着大衣，手里拿着帽子，看向远方的慈祥的老爷爷，这个老爷爷——汉斯·克里斯汀·安徒生，就是享誉全球的童话诗人。

安徒生在童话上取得的成就让他在欧洲获得了很多赞誉，他比同时代的任何作家获得的勋章都要多。1846 年，普鲁士国王威廉四世授予他三级红鹰骑士勋章；1848 年，瑞典国王授予他瑞典北极星骑士勋章；1867 年 5 月，他被丹麦国王封为政务参事；同一年，他收到了欧登塞政府的来信，他被推选为荣誉市民，荣誉证书上的图案都是他为人熟知的童话中的人物和场景。1867 年的 12 月 6 日，属于安徒生生命中最喜庆的聚会来临了，他是这个聚会里当之无愧的主角。欧登塞装扮得像过节一样，人们聚集到他的居所楼下，大声欢呼他的名字，唱着他作词的歌曲《我爱你！——丹麦我的祖国!》。那一天的欧登塞灯火辉煌，人们都想看看以前那个贫穷鞋匠和洗衣妇的儿子，安徒生忍着病痛为前来庆祝的小孩子们读了一篇童话。

安徒生最为世人瞩目的成就，是他创作的那些童话故事。所以安徒生在自传的开头写道：“我的生活是一篇美丽的童话，十分丰富，万分幸福！他在 1868 出版的《树神》里说我们的时代是童话的时代，那个时代因为有了他，才真正成了童话的时代。”

安徒生在世的时候写过自传——《我的童话人生》，自传的第一部分止稿于 1855 年 4 月 2 日他五十岁生日的时候。随着他的童话创作的影响力越来越大，出版商很愿意发行他的传记；同时，安徒生也很愿意把自己的经历写下来告诉更多的读者，他渴望更多的人了解他。安徒生通过童话创作取得的成就，是他其他的创作成就所无可比拟的。安徒生认为自己的一生就像一个童话。这个童话里充满了漂泊的艰辛和不懈追求的曲折。童话就是他生命中的那盏阿拉丁神灯！安徒生旅行过的每一个城市都为他提供了丰富多彩的故事。安徒生曾经在年少时饱尝贫穷与孤独，随着岁月洗礼，他沉下心来，不再惧怕讥讽嘲笑，而是让自己沉浸在童话世界里，他在创作时最幸福！

其实除了童话创作，安徒生还写过上千首诗歌、五十部戏剧、六部长篇小说、七部游记。安徒生的作品几乎涉及了文学的所有题材，他是当之无愧的文学家。在艺术领域，他画过几百幅素描、拼贴过十几本精美画册，还有上千件剪纸作品。其中“诗人”身份，是他在成为一个“童话”作家之前最想拥有的，即使在大家赞赏他的童话创作时，他也希望大家能记得他还是一位诗人。

在所有对安徒生童话创作的评论里，他认为朱利安·施密特的评论卓有见识：安徒生的诗恰恰在最合适的时候来到了德国，他的童话理所当然地在各阶层人民当中找到了位置。他幽默而充满幻想的格调不拘泥于创作的任何形式，诗人只是偶然才有些伤感。最让人感到亲切的是诗人用他纯真的情感把世间万物都作了拟人化的描写。他有真正的诗人天性，并且用他存于大自然和心灵中的美去看待这个世界，这些让安徒生在新文学发展中拥有了真正的价值。这是安徒生在自传中提到的，可见他是多么看重自己的诗人身份。

1875年8月4日上午11时05分，安徒生与世长辞。安徒生的安葬仪式于1875年8月11日在哥本哈根圣母教堂举行。他生前交往过的朋友、普通市民、皇室成员都来参加了他的葬礼，主持仪式的牧师朗读了他的诗歌《诗人的最后一歌》。他被安葬在哥本哈根北郊的襄辅教堂陵园中。

1913年，一座为了纪念他，一座小美人鱼雕像被安放在哥本哈根港口北部的长堤岸边。到哥本哈根访问的人们，一定会去看看她。2010年，小美人鱼雕像还漂洋过海来到了中国上海世博会。

安徒生的童话在当时就已经翻译成了欧洲其他国家的文字，一直到1913年，安徒生童话终于来到了中国。周作人发表了中国第一篇详细介绍安徒生的生平与创作的论述文章——《丹麦诗人安兑尔然（安徒生）传》。周作人在文中介绍了安徒生的生平简历，还提及了安徒生的多部代表作《丑小鸭》《公主》《冰雪女王》《人鱼》《鹳鸟》等，并特别介绍了《皇帝的新装》的内容，他还在文中插入了自己翻译的《无色画贴》（《没有画的画册》）中的“第十四夜”。自此之后，越来越多的人把安徒生的童话译介到中国来，现在已经有好几种非常完整的关于安徒生童话故事全集的中文译本。

为了纪念安徒生和他的童话创作成就，国际少年儿童读物联盟于 1956 年设立了“国际安徒生奖”，这是全球儿童文学的最高荣誉，人们用这样的方式来纪念安徒生以及鼓励各国儿童文学创作。安徒生已经得到了永恒的灵魂，全世界的孩子和成人都会读着他的童话，在心里怀念他。